岩 波 文 庫

33-906-3

# 新 科 学 論 議

(上)

ガリレオ・ガリレイ著
田 中 一 郎 訳



岩 波 書 店

Galileo Galilei

# DISCORSI E DIMOSTRAZIONI MATEMATICHE, intorno à due nuoue scienze attenenti alla mecanica & i movimenti locali

1638

# 訳者はしがき

本書は、ガリレオ・ガリレイが一六三八年に出版した『機械と位置運動に関する二つの新科学についての論議と数学的証明』(*Discorsi e Dimostrazioni matematiche, intorno à due nuoue scienze attenenti alla Mecanica & i Movimenti Locali*, Leida, 1638) の全訳である。翻訳にあたり、この原題を『新科学論議』と表記した。

本書では四日間にわたってガリレオの力学研究が紹介され、彼が一六三二年に出版した『天文対話』と同じ三名の対話者によって議論が交わされる。その内容は二つの部分、二つの科学に大別でき、最初の二日間はヴェネツィアの造船所の話から始まり、固体の破壊に対する抵抗力が論じられる。後半の二日間では、位置運動と投射体の運動が論じられる。

対話者のうち二名は実在の人物である。一人目はガリレオの親しい友人でありフィレンツェ貴族のフィリッポ・サルヴィアティで、本書ではガリレオの研究を紹介する役を演じている。ラストラ・ア・シーニャにある彼の別荘レ・セルヴェは、フィレンツェの喧噪から逃れたガリレオの思索の場となった。

二人目のジョヴァン・フランチェスコ・サグレドはヴェネツィア貴族であり、ガリレオがパドヴァ大学教授だった一五九九年頃の教え子だった。ガリレオがパドヴァを去って故郷のフィレンツェに戻ったのちも生涯にわたって文通し、磁気、光学、機械学の研究をした。いずれもすでに故人となっていたが、ガリレオはこの『新科学論議』のなかで彼らに語らせ、彼らの生前の姿を生き生きと描写しようとしたのである。

三人目のシンプリチョは『天文対話』のなかでは強固なアリストテレス主義者であったが、ここではアリストテレスの見解を紹介するものの、かつての頑なさは失われている。彼については古代の実在した人物であるという意見もあるが、むしろ、それまでガリレオに対して異論を唱えてきたアリストテレス主義者たちを代表する架空の人物と考えたほうがよさそうである。

これまで本書のタイトルは翻訳にあたり『新科学対話』と表記されることが多かったが、イタリア語の完全な表記からわかるように、「対話（Dialogo）」ではなく、「論議（Discorso）」である。同じガリレオの著書『天文対話』とは異なり、本書では、「わたしたちのアカデミア会員」と呼ばれているガリレオの論考を中心に議論が展開されているからであろう。一七世紀の出版以来、各国で数多くの翻訳書が出版されてきたが、確認できたかぎりでは、それらのうち「対話」としているのは一九一四年の英訳版、一九四五年のスペイン語訳版、そして一九三七年、一九四八年の岩波文庫版（今野武雄・日田節次訳）のみである。しかし、近年は、抄訳、引用にさいしても『新科学論議』と表記するものが内外で多数存在している。したがって、本翻訳版では『新科学論議』とした。

イタリア語の初版本には巻末に正誤表が付けられているが、本翻訳版では該当箇所を訂正のうえ翻訳している。また、初版本の出版後にいくつかの誤記、誤植が指摘されてきたが、いずれも軽微なものであるため、断ることなく訳文に反映させた。ガリレオ自身によっても、出版後に多くの加筆がなされており、その後に出版された版には、海外の翻訳書を含めて、その加筆に基づくものがある。しかし、本翻訳版では一六三八年の初版本を底本として翻訳した。

なお、「第一日」の直前に掲げられた「本書で扱われる主要テーマの目次」は初版本の出版者エルゼヴィルが作成したものであり、ガリレオの書いたものではない。

「目次」と言いながら本文の見出しと対応しておらず、現代の読者には奇異に見えるものかもしれないが、本書の歴史性を尊重し、あえてそのままの形で訳出した。本文の注においてOGと略記したのは、アントニオ・ファヴァロ編『国定版ガリレオ・ガリレイ全集』全二〇巻(Antonio Favaro (a cura di), *Le Opere di Galileo Galilei, edizione nazionale*, 20 vols., Firenze, 1890-1909)のことである。訳文中に、説明のために訳者が補った語句は〔 〕に入れて示した。

# 上巻目次

下巻目次



図版製作＝鳥元真生

# 新科学論議（上）

フランス国王陛下の顧問、聖霊騎士団の騎士、軍隊における元帥、ルエルグの執政にして総督、オーベルニュにおける陛下の代理人、わたしのあるじにして尊敬すべき庇護者
令名高きノアイユ伯閣下へ

閣下

閣下が快くわたしのこの著作の手配をしてくださったのは、閣下の寛大さの結果であると感謝しております。とはいえ(閣下がご存知のように)わたしの他の著作に相次いで降りかかった不運によって混乱させられ落胆させられて、わたしの労作をこれ以上公表して人目にさらすことはしないと決心しておりました。ただ、そのすべてが埋もれたままにならないようにするために、少なくともわたしの扱ったテーマに精通している人びとにはわかる場所に手稿の写しを残すようにと説得されたのです。最良で

もっとも高尚な場所として、閣下にお預けすることを選んだ次第です。閣下の格別のご厚情のゆえに、そこがわたしにとって安全で、閣下はわたしの研究と労作の保管に心を砕いてくださることでしょう。このため、閣下がローマ大使からのご帰国の途上で、手紙でも何度もしてきましたように、じきじきにご挨拶しました。その機会に、当時完成していたこれら二つの著作(1)の写しを閣下にお渡ししました。閣下はご寛容にもそれらを喜んで受け取ってくださり、安全に保管しようとされたのです。そして、フランスでこの科学に精通した友人たちにこれらを伝え、わたしが完全に沈黙していたとしても、まったく無為な生活をしていたわけではないことを示してくださいました。その後、他の写しをドイツ、フランドル、イギリス、スペイン、できればイタリアのどこかにも送ろうと準備をしておりましたところ、思いがけずエルゼヴィルからわたしの著作を印刷している、だから献辞を書くことを決断し、それについてのわたしの考えを直ちに届けるようにと知らせてきました。この不意の予期しない知らせに心を動かされ、閣下がわたしの作品を多くの人びとと分かち合うことで、わたしの名声を蘇らせ高めることを熱望しておられたことが、前述の出版者の手に渡った原因であろうと思い至りました。この出版者はわたしの著作の出版に尽力し、それらをとても美しく優雅に印刷して世に出し、わたしに栄誉を授けようとしてくれたことがありました。わたしのこれらの作品はかくも偉大な審判者の意向に委ねられるという運命にあるがゆえに眠りから目覚めるにちがいありません。閣下を万人に称賛させることになった多くの美徳は比類なき寛大さと奇跡的に結びつき、わたしのこの作品が寄与するに違いないとお考えになった公共の利益に対する熱意にもあずかって、閣下はその名誉の限界と境界を拡げようと望まれたのです。したがいまして、事態がここまで進んだからには、わたしが閣下の高潔無私な情愛にあらんかぎりの方法で感謝の気持を表明するのはしごく当然のことです。閣下は、わたしの名声に翼を与えて広々とした天空のもとで自由に拡げさせ、わたしには狭い空間にとどまっていると思われた名声を高めることにご配慮くださいました。それゆえに、わたしがこの労作を献呈するにふさわしいのは閣下です。閣下に対するわたしの多くの義務からだけではなく、閣下がわたしを敵対者たちとの競技の場に立たせたのですから、わたしの評判を傷つけようとする者たちからその評判を擁護することを義務づけられている閣下ご自身の利益のためにも(そう言って許されるのであればですが)、わたしはそうせざるを得ないのです。それでは、閣下の軍旗と庇護のもとに前進することにし、恭しくお辞儀をし、閣下のご厚情があらゆる幸運と偉大さの頂点をきわめることで報いられますことを祈念いたします。一六三八年三月六日　アルチェトリにて

閣下の

もっとも忠実なしもべ
ガリレオ・ガリレイ

(1) ガリレオは『新科学論議』を主に物質強度について扱う前半の二日間と動力学を扱う後半の二日間とからなる二部作と考えていたため、このように呼んでいる。

# 出版者[1]から読者へ

市民生活は人と人との互恵的援助によって維持されており、主として技術と科学を利用することがこの目的に役立つから、このために、これらの分野の考案者たちがいつも高く評価され、賢明な古代には大いに尊敬されてきたのである。ある考案物が優れていたり、有用であったりすればするほど、考案者には神と崇められるほどの大きな称賛と名誉が与えられてきたのである(人間は一致して、最高の名誉を与えてそれらの原作者の記憶を永遠のものにしようとしてきたのである)。同様に、鋭い才知によってすでに見いだされているものを改良した者も、高名な人びとによって提示され、長年にわたって真実として認められてきた非常に多くの命題の虚偽と誤謬を見つけたがゆえに、大いに称賛し賛美するに値する。このように、その発見者が虚偽を取り除いただけで、真実を紹介しなかったとしても、こうした発見は称賛に値すると考えられる。真実の紹介がきわめて困難であることは、雄弁家の第一人者が言っているとおりである。「願わくは、偽りを示すのと同じくらい容易に真実を見つけることができますように。(2)」実際、これまでの数世紀が称賛されるべきであって、その間に、古代人たちによって見つけられた技術と科学はきわめて明敏な天才たちの研究によって多くの検証と実験を経て、ますます完全なものになってきたのである。とりわけ、このことは数学において顕著で、数学においては(それに従事し、称賛され、大きな成功を収めたさまざまな人びとを差しおいて)アカデミア・デイ・リンチェイ会員のわれらのガリレオ・ガリレイ氏が、比肩するものがないくらいに、あらゆる専門家の拍手と承認を受けて最高位にあってしかるべきである。なぜなら、彼は、さまざまな結論へと導く多くの理論を(彼がすでに出版した著作に詰まっている)強固な証明によって確認し、決定的ではないことを示したのである。さらに、望遠鏡(わが国で初めて作られたが、のちに彼によってもっと完全なものにされた)によって誰よりも先に、木星の四つの衛星、天の川の本当の正確な姿、太陽黒点、月はでこぼこしており、ぼんやりした部分があること、三重になった土星、鎌の形をした金星、彗星の性質と位置を発見し、知らせてくれた。これらすべては古代の天文学者にも哲学者にも決して知られていなかったもので、この結果、彼によって天文学は新たな光のもとに出現し、修復されたと言うことができる。この卓越さが（天空と天体には、最高の創造主の力、知恵、そして善意が他のどのような被造物におけるよりも明確に、感嘆するほど光り輝いているのだから）、このような知識を公表し、ほぼ無限の距離に妨げられることなく、それら天体をはっきりと見えるようにしてくれた人物の偉大さと真価を高めているのである。一般に言われているところでは、見ることは、たった一日であっても、何回も繰り返しても教えることができないほど、ずっと確実に教えるのである。直感的な知識は（言い換えると）、決定的である。しかし、神と自然によって（多大な努力と徹夜を通じてではあるが）彼に与えられた恩寵は、本書のなかにもっとはっきりとしている。そこでは、彼は第一原理と基礎から説得的に、つまり幾何学的に証明された二つの完全な新科学の発見者であることがわかる。本書をさらにすばらしいものとしているのは、二つの科学の一方が自然における永遠の主要なテーマを扱っていることである。これはあらゆる偉大な哲学者たちによって考察され、それについては非常に多くの書物が書かれてきた。無数の驚くべき性質をもつ位置運動のことであって、これまで、そのいずれも他の人によって発見されたことも、証明されたこともなかった。もうひとつの科学は、その原理から証明されており、強引に砕かれることに対する固体の抵抗力を扱っている。これは非常に有用な知識であり、科学と機械的技術においてはとりわけそうであって、これまで観察されたことがなかった諸性質と諸命題に満ちている。これら二つの科学は命題に満ちており、これらの命題は時がたつにつれて思索的な才人たちによって無限に増やされていくであろう。本書において、その最初の扉が開かれたのである。証明された少なくない数の命題によって、賢明な者なら容易に理解し認めるように、さらなる無限へと導く進路と通路が指し示されているのである。

(1)「出版者」とはオランダで一六世紀後半から出版業を営んでいた一族の成員であるルイ・エルゼヴィル(一六〇四―七〇年)で、エルゼヴィル家はルネ・デカルトの『哲学原理』やトマス・ホッブズの著作を出版したことでも知られている。

(2) キケロ『神々の本性について』第一巻三二章。

# 本書で扱われる主要テーマの目次

# 第一日

対話者

サルヴィアティ、サグレド、シンプリチョ

**サルヴィアティ**　あなた方ヴェネツィア市民の有名な造船所の絶え間ない業務は、思索的な知識人に哲学をする広大な領域を与えてくれているように思われます。とりわけ、そのなかでも機械が必要な部門がそうでしょう。そこではあらゆる種類の器具や機械が多数の職人たちによって休むことなく動かされており、彼らのなかには、前任者によってなされた観察や、自らがいつも注意深く行なってきた観察によって熟練した者やとても鋭い話をする者がいますから。

**サグレド**　あなたの言うとおりです。わたしは生まれつき好奇心旺盛なので気晴しにそこを訪れ、他の職人よりも優れているためにわたしたちが職長と呼んでいる人たちの仕事ぶりを見ています。彼らと話してみて、驚くだけでなく、秘められたほとんど予想もできないような現象の原因についての研究を何度も助けてもらいました。あるときには、わたしには思い及ばないけれども、感覚では正しいとわかることをどうすれば受け入れることができるのかと混乱し、絶望することがありました。ちょっと前にあの親切な老人が話してくれたことは一般によく言われていることで信条のようなものですが、知性のない人が口にする多くのことと同様にわたしにはまったく根拠がないように思われ、彼らは理解していないことを知っているかのように述べているとしか考えられないのです。

**サルヴィアティ**　あなたはおそらく彼が提案した最後の意見のことを言っているのでしょう。わたしたちが研究していたのは、大きなガレー船を進水させるときに小さな船には使わないような大きな支持装置、艤装具、その他の防具や補強装置を使うのはなぜかという理由を理解することでした。彼の答えでは、小さな船なら受けないような不都合があって、その巨大さからくるとんでもない重さによって圧迫されて壊れる危険を避けるためということでしたね。

**サグレド**　それを言おうとしていました。とりわけ、彼が最後に付け加えた結論は一般人のくだらない考えだとみなしてきました。つまり、機械の製作の多くは小さいもので成功しても大きいものではうまくいかないから、これとか他の同様の機械では小さいものによって大きいものを論じてはいけないということでした。しかし、機械についての理論はすべて幾何学にその根拠があり、幾何学では、円、三角形、円柱、円錐、その他の図形や立体が大きいために小さいほうと異なる性質になったり、小さいために大きいほうと異なる性質になったりするのを見たことがありません。大きい機械がすべて小さい機械に比例した部品で作られており、小さいほうが予定どおりの働きをして頑強なのに、どうして大きいほうが不意に起こりがちな災難や破壊を免れないのかがわからないのです。

**サルヴィアティ**　一般に言われていることはまったく根拠がありません。たとえば、時間を示し、時を告げる時計は小さいものよりも大きいほうが狂いなく作られるというように、多くの機械は小さいものよりも大きいほうがもっと完全に作ることができると述べて、逆のほうが同じくらい正しいと主張するのも根拠がありません。かなり頭のよい人でも、もう少しましな根拠で、大きい機械が純粋で抽象的な幾何学的証明から理解される働きをしないのは、多くの変則性と欠陥をもつ素材の不完全さに原因があると、これと同じことを間違って述べています。ところで、尊大な話し方にならないように言えるかどうかわかりませんが、きわめて純粋な数学的証明をけがしてしまうほどの力がある素材の不完全性に訴えるのは、現実の機械が理論上の理想的な機械に従わない言い訳とするには充分ではありません。あえてわたしが断言したいのは、素材の不完全さをすべて除いて完全で変質せず、あらゆる付随的な変化を免れていると仮定しても、素材がひとつだけであれば、大きい機械が小さいほうと同一の物質で同一の比率で作られ、他の条件もすべて小さいほうと正確に相似していても、頑強さと外部からの攻撃に対する抵抗という点では別だということです。実際、大きいほど、それに比例して弱くなるのです。素材は不変である、つまり、いつも同一だとわたしは仮定していますから、他の不変で不可欠の属性と同様に、これについても他に劣らず偽りのない純粋な数学的証明ができるのは明らかです。だからサグレドさん、あなたがもっておられる、おそらく機械について学んだ他の多くの人びともそうでしょうが、同じ物質からできていて、各部分の比率が正確に同じ機械や構造物は外圧や外からの打撃に等しく、もっとうまく言うなら、比例して抵抗できるはずだという意見を捨ててください。大きいほど、それに比例して小さいほうよりもいつも弱くしか抵抗しないということは、幾何学的に証明できます。結局のところ、あらゆる機械や人工的構造物だけでなく天然の構造物にも、人工的であれ天然であれ、越えることのできない一定の限界があるということです。わたしが言っているのは、同一の比率で同一の素材でということがつねに守られていればですが。

**サグレド**　もう頭がぐらぐらしてきました。雲が稲妻によって突然切り開かれたように、一瞬のただならぬ光がわたしの頭をいっぱいにして、なじみがなく、わかりづらい空想を遠くからわたしにほのめかし、すぐにそれをごちゃごちゃにして、見えなくしてしまったかのようです。あなたがわたしに話されたことからすると、同一の物質でできた、似ているけれども等しくなく、それらの違いに比例した抵抗力をもつ二つの構造物を作ることは不可能だということになると思われます。そうだとすると、同一の木材からできた、大きさは異なるが強度と機能は同じ二本の棒を見つけることも不可能ということになりますね。

**サルヴィアティ**　そのとおりです、サグレドさん。わたしたちが同じ考えにたどり着いたことをさらに確かめるために、木の棒を壁に直角に、つまり水平線に平行に打ち込んだとしましょう。それは自分を支えられる限界の長さで、そのために毛ほどでも長くすると自分の重さで折れてしまう、この世で唯一のものです。このようにして、たとえばその長さが太さの一〇〇倍だとしますと、同じ物質でできた、長さが太さの一〇〇倍で、ぴったりと自分を支えることができて、それ以上は支えることができない棒はこれ以外に見つかりません。実際、より大きいものはすべて折れ、小さいものは自分の重さ以外に他のものも支えることができるでしょう。わたしが自分の重さを支えるということについて述べていることは、他のどんな材質についても言えると思います。たとえ縦桁が同様の一〇本の縦桁の重さを支えられるとしても、同様の梁一〇本の重さを支えることができる梁は見つかりません。ところで、あなたとシンプリチョさん、一見するとありそうもないと思われる真の結論でも、ちょっとしたことを教えられると、それらは覆い隠していた衣服を脱ぎ捨て、むき出しの単純であでやかな秘密を見せることに注意してください。三、四ブラッチョ〔一ブラッチョは約六〇センチメートル〕の高さから落下した馬は骨折するでしょうが、その高さから落下した犬や八とか一〇ブラッチョの高さから落下した猫には何の被害もないということを見たことがない人などいるでしょうか。塔から落下したコオロギも月から落下してきたアリも同様でしょう。小さな子供が落下しても、年長者ならスネとか頭を骨折する場合でも、無傷のままではないでしょうか。小さな動物が大きな動物に比べて丈夫で頑強なように、小さな植物のほうが倒れにくいのです。あなた方のどちらももうご存知だと思いますが、高さ二〇〇ブラッチョの樫の木は、中くらいの木のように枝が出ていれば支えることはできません。二〇頭分の大きさの馬や普通の人間の一〇倍の巨人を作るには、自然は奇跡でもないかぎり、さもなければ四肢ととりわけ骨格の比率を変えて、普通の骨以上にずっと大きくすることによってしかできないのです。同様に、人工の機械の場合、大きくても小さくても同じように実行可能で耐久性があると信じるのは、明らかに間違っています。たとえば、小さな尖塔、列柱、その他の固体は、横たえても立てても、壊れるリスクなしに安全に扱うことができますが、大きいものは不意の事故で粉々になることがあり、その原因は自分の重さ以外にはありません。ここに、あなた方に知ってもらう価値が本当にある事故の話があります。すべての事故は予想を超えてすべてを打ちのめすもので、とくに、不都合に対する予防策が異常の有力な原因になったときはそうでした。一本の巨大な大理石の柱が横たえて置かれ、その両端は二本の梁の上に載せられていました。少しあとで、ある機械工が、それが自分の重みによって真ん中で折れることがないようにもっと安全にしようと思いつき、そこに三本目の同じような支えを置こうとしたのです。この忠告は多くの人に適切だと思われました。しかし、結果はまったく反対だとわかりました。何カ月も経たないうちに、柱はぴったり真ん中の新しい支えのところで割れて折れてしまったのです。

**シンプリチョ**　確かに驚くべき出来事です。真ん中に新しい支えを加えたことが原因だとしますと、本当に思いもよらないことです。

**サルヴィアティ**　確かに、そこに原因があるのです。結果の原因がわかれば、驚くことはありません。二つになった円柱が地面に降ろされると、一端を支えていた梁の一本が長いあいだに腐って、沈んでいることがわかったからです。真ん中の梁は使用に耐えて、頑丈なままで、円柱の半分は宙に浮いていたわけです。端で支えられなくなったので、その過剰な重さが、最初の二本で支えられていれば起こらなかったことを起こしたのです。なぜなら、それらの一本が沈下すれば円柱もいっしょに沈下したでしょう。小さな円柱なら、たとえ同じ石で、太さに対する長さがこの大きい円柱の太さと長さの比と同じであっても、このような事故が起こらなかったのは疑いありません。

**サグレド**　これで結果の真相については納得しました。しかし、素材が大きくなるとなぜ同じ比率で抵抗力あるいは強度が増加しないのかという理由はまだわかりません。反対に、破壊に対する頑強さと抵抗力が素材の増大以上に大きくなるのを見たことがあるので、なおさら混乱するのです。たとえば、壁に打ち込まれた二本の釘があって、その一本が他方より二倍大きいとしますと、これは二倍どころか、三倍とか四倍の重さにも耐えられるでしょう。

**サルヴィアティ**　八倍と言ってもかまいません。あなたは真実からかけ離れたことを言っているわけではないのです。見たところ奇妙ですが、こうしたことは真実に反してはいません。

**サグレド**　それではサルヴィアティさん、できればこの困難を取り除いて、わからないところを説明してくれませんか。この抵抗力についての問題はすばらしくて有用な考察に満ちた分野だと思えてきましたので、もしあなたがそれをきょうの議論のテーマにしてくれるのなら大歓迎です。シンプリチョさんもそうだと思います。

**サルヴィアティ**　喜んでお役に立ちましょう。わたしたちのアカデミア会員〔ガリレオ〕からかつて学んだことについて覚えていることが役に立ちますから。彼はこのような問題について多くの考察をして、すべてをいつものとおり幾何学的に証明したのです。これは新科学と呼ばれてしかるべきです。もし結論のいくつかが他人によって、とりわけアリストテレスによって指摘されていたとしても、それらはもっともすばらしいものではありませんし、（もっと重要なこととして）最初の疑いえない基本原理から必然的な証明によって立証されてもいません。お話ししましたように、わたしは証明することで確かめたいのであって、もっともらしいだけの論議で説得したいのではないのです。あなた方は、他の人びとによってこれまでに事実に即して論じられてきて、わたしたちに必要だと思われる機械学の結論についての知識をもっているようですから、まず、それらの諸部分が強固に結びつけられている木材とか他の固体が折れるさいに生じる現象について考えなければなりません。なぜなら、これが知っておくべき主要で単純な原理を導く基本的概念だからです。これをもっと明確に説明するため、木材または他の硬い物質でできた円柱あるいは角柱ABを描き、上端Aで固定して垂直にぶら下げ、他端Bに錘Cを吊るしましょう。この固体の各部分相互の粘着力と結合力がどれほどであっても、無限ではないとすれば、錘Cの引っ張る力によって打ち負かされることがあるのは明らかです。その重さを思いどおりに調節して、その固体がロープのように引きちぎれてしまうまで増やすことができるのです。このロープでわかるように、その抵抗力は組み合わさった大量の麻の繊維から生じており、

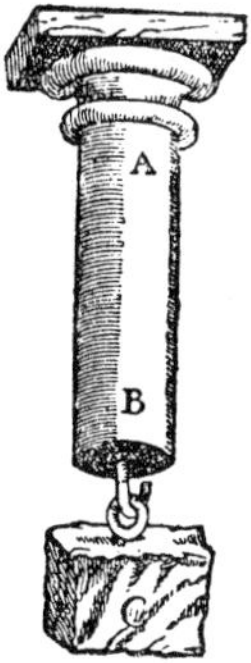


木材にも縦に伸びた繊維や繊条組織があって、それらが、同じ太さのどんな麻縄にもない引きはがされることに対する大きな抵抗力を木材に与えています。ただし、石や金属の円柱の場合、その各

部分の結合力（これはさらに大きいと思われます）は繊維とか繊条組織とは別のものに依存しています。それらであっても、充分に引っ張れば切断されてしまいます。

**シンプリチョ**　あなたが話しているように事態が進行しているのなら、木材にはそれと同じ長さの繊条組織があって、それを折ろうとする大きな力に対して頑強で耐えられるようにするということがよくわかります。しかし、ロープは麻の二、三ブラッチョの長さしかない繊維からできているのに、どうして一本を同じくらい頑強な一〇〇ブラッチョの長さにできるのですか。さらに、金属、石、その他の繊条組織のない物質の諸部分の結合についてのあなたの意見をお聞きしたいです。わたしが間違っていなければ、これらの粘着力のほうが強いでしょう。

**サルヴィアティ**　あなたが出された難問に解答しなければならないとすると、わたしたちの目的とはあまり関係のない新しい考察に脱線することになるでしょう。

**サグレド**　しかし、本題から逸れることで新しい真理を知ることになるのなら、それも悪くないでしょう。わたしたちは窮屈で簡潔な方法に縛られているのではなく、自分たちの楽しみのためだけに集まっているのです。それについての知識を失わないために、ここで本題から離れましょう。この機会を逃すと、おそらく別の機会はないでしょう。それどころか、最初に探し求めていた結論よりももっと美しい興味深いものは見つけられないと誰が知っているというのでしょう。ですから、シンプリチョさんを満足させてくれるようお願いします。わたしも、どのような接着剤が固体の諸部分を強固に結びつけており、それでもついには切れてしまうのかということに彼に劣らず興味をもっており、知りたいのです。この知識は固体のいくつかを構成している繊条組織の諸部分の結合力を理解するためにも必要です。

**サルヴィアティ**　わたしがここにいるのは、お役に立つためです。お望みどおりにしましょう。最初の難問は、なぜ長さ一〇〇ブラッチョのロープの繊維(それぞれが二、三ブラッチョの長さしかない)が、それらを分離するにはとても強制的な力が必要なほど強固に組み合わされているのかです。それではシンプリチョさん、一本の麻糸の一端を指にしっかりはさみ、わたしが他端を引っ張りますので、それが切れるまで手から離さないで持っていられるか言ってください。もちろん、できますよね。ところで、麻糸が一端だけではなく、その全体を取り巻くように強い力でしっかり持たれていると、それを引き抜くのは、それを切るよりも困難なのは明らかではありませんか。ロープの場合、繊維は撚り合わされて、互いに締めつけあっており、太くなったロープを強い力で引っ張ると、その繊維は切られても、ばらばらになることはないのです。この切断面を見ればはっきりわかるように、繊維は非常に短く、一ブラッチョもないほどですが、ロープの切断は繊維が切られたことによってではなく、繊維が他の繊維によって引きずられて分離したことによってのみ生じたのだと考えなければなりません。

**サグレド**　確認のために付け加えますと、ここでわかったことは、ロープは長さ方向に引っ張っても切れることはなく、ねじりすぎると切れるということですね。わたしには、説得力のある議論だと思われます。繊維は互いに押さえつけあっており、ロープをねじると短くなって少し太くなり、ロープを取り巻いている螺旋状の部分を伸ばさないといけないが、それに必要なわずかなずれも許さないほどだということですね。

**サルヴィアティ**　そのとおりです。さて、どのようにしてひとつの真実が他の真実から導かれるのかを引き続いて考えてみましょう。指のあいだにはさまれた糸はかなりの力で引っ張られても、抜き取られることに抵抗するのは、二本の指で圧迫されて引き止められているからです。上の指が下の指を押さえつけているのと同じように、下の指も上の指を押さえつけています。これら圧迫している二本の指の一方だけを取り除くことができれば、二本の指による抵抗の半分が残るのは確かです。しかし、たとえば上の指を持ち上げて、他方の指を取り去ることなしにその圧力をなくすことはできませんから、新しい仕掛けで一方を維持する必要があります。そのひとつが、糸が指または他の固体に押さえつけられていて、それを引っ張って切断しようとする力が強くなるほど、強く押さえつけられる方法を実現するものです。これは、固体のまわりに糸を螺旋状に巻きつければ実現します。もっとよくわかるように、ちょっとした図を描いてみましょう。ABとCDは二本の円柱とし、それらのあいだに糸EFが伸ばされています。もっとはっきりさせるため、ロープの形に描くことにしましょう。二本の円柱が互いに強く押しつけあえば、一端Fで引っ張られたロープEFは、かなり強制的な力にも抵抗して、それを押さえつけている二つの固体のあいだをすばやく通過することはないでしょう。しかし、それらの一方を取り除くと、ロープはまだ他方に接触しているのに、その接触によって妨げられる

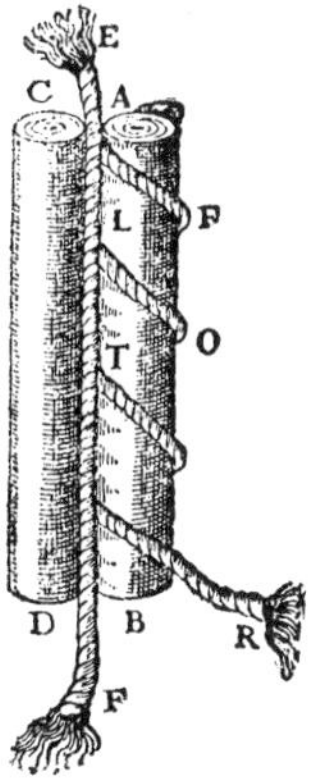

ことなく、拘束なしに通過するのは明らかでしょう。しかし、それを円柱Aの先端にゆるくくっつけ、円柱のまわりに螺旋AFLOTRの形に巻き、端Rを引くと、ロープが円柱を締めつけだすのは明らかです。巻数と螺旋が多くなるほど、強く引っ張るとロープは円柱をますます締めつけるでしょう。巻数が増えると接触している長さも増えて克服できないほどになり、ロープがすばやく通過することも、引っ張る力を受け入れることも困難になっていくでしょう。これが、何千回も巻かれて太い麻縄を編み上げている繊維の抵抗だとわからない人などいるでしょうか。それどころか、このように曲がりくねっていることから生じる締めつけには粘着力があって、数本のそれほど長くはない葦を数回撚り合わすと、とてもしっかりした太い綱ができるほどです。これは、絞り綱と呼ばれているようです。

**サグレド** あなたのお話で、二つの現象について、原因がわからず不思議に思っていたことが解決しました。そのひとつは、巻き上げ機のボビンに麻縄を二回とか、せいぜい三回巻くと、それが支えている錘の非常に大きな力によって引かれても、すべってそれに屈することなく、そのままの状態を保つだけでなく、巻き上げ機を回転させると、そのボビンは、それを締めつけている麻縄と接触しているだけで、巨大な石をぐるぐると巻き上げることができるのはどうしてかを理解することでした。しかも、かぼそい少年の腕でもこの麻縄の他端をつかんで、山積みにすることができます。もうひとつは、単純ですが、巧妙な装置についてです。それは、手のひらをひどく擦りむくことなしに窓からロープで降りるために、わたしの親戚の若者によって考案されたものです。少し前に、彼は大怪我をしたことがあったのです。理解しやすくするために、ちょっとしたスケッチをしてみましょう。杖くらいの太さで、長さが約一パルモ〔約二五センチメートル〕の木の円柱ABのまわりに螺旋状にひとまわり半だけ、使おうとしているロープが入る幅の溝を彫ったのです。ロープは端Aから入れられ、他端Bで出されています。彼は、この円柱とロープを木または鉄板の筒で囲んだのですが、この筒は縦に分割され、自由に開閉ができるように蝶板でとめられています。彼は上の階の動かないところにロープをつなぎ留めてから、この筒を両手で握って締めつけ、両腕でぶら下がりました。

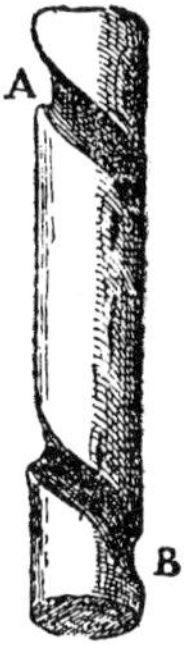


まわりの筒と円柱のあいだのロープに対する圧迫は、手を強く握りしめて、思うがままに下がることなく止まったり、握りを少しゆるめて、好きなようにゆっくり下がったりできるようになっています。

**サルヴィアティ**　本当に創意に富む考案ですね。その本質をすべて説明するためには、漠然とはしていますが、別の何らかの考察を付け加えることが必要ではないかと思われます。ただし、今のところ、この特定の問題から離れたくはありませんし、とくにあなたは、ロープや木の大部分とは違って、繊維から構成されていない物体の破壊に対する抵抗力についてのわたしの考えを聞きたいようです。それらの諸部分の凝集は、わたしが判断するに、二項目に分けられます。そのひとつは、自然が真空に対してもっている有名な嫌悪です。もうひとつについては（真空の嫌悪だけでは充分ではありませんから）、物体を構成している諸部分を強固に結びつける膠《にかわ》、鳥もち、あるいは糊のようなものを導入することが必要です。まず真空について話しますと、わかりやすい実験で、真空の力がどのようなもので、どのくらいなのかを示すことにしましょう。手はじめに、完全に平らに磨かれた大理石、金属、またはガラスの板の一枚をもう一枚の上に重ねると、それがやすやすとすべっていくのをいつでも見ることができます（粘着物質がそれらをまったく結合させていないという確実な証拠です）。しかし、平行になっているそれらを引き離そうとすると、反発があって、上の一枚を持ち上げると、もう一枚もいっしょに引っ張られ、たとえそれがとても大きくて重いとしても、永遠に持ち上げ続けます。このことがはっきりと示しているのは、自然は、短時間であっても、周囲の空気が流れ込んで、そこを占めて満たす前に、二枚のあいだにできる空虚な空間を受け入れることを毛嫌いするということです。さらに、これら二枚が厳密になめらかでない場合、それらの接触は完全ではないでしょうから、ゆっくりと分離しようとすれば、その重さ以外にはいかなる抵抗力もないことがわかります。しかし、急に持ち上げると、下の石は持ち上げられますが、上の石にくっついているのは、ぴったり合わさっていない板のあいだにあった少量の空気の膨張と周囲の空気の流入に足りる短時間だけで、すぐに落下します。感覚的に気づくことができる二枚の板のあいだの抵抗力は、固体の諸部分間でも排除されないということ、そして、少なくともある程度はそれらを結びつけ、凝集力の原因となっていることは疑い得ません。

**サグレド**　どうか中断して、たった今思いついたわたしの考えを話させてください。急速に持ち上げると、下の板が上の板にくっついていくということを見ますと、多くの哲学者と、おそらくアリストテレスの言っていることとは反対に(1)、真空中の運動は瞬間的ではないということは明らかです。瞬間的だとすれば、それらを分離するのに必要な時間と、それらのあいだにある真空を満たすために周囲の空気が流入するのに必要な時間はどちらも瞬間ということになるので、前述の二枚の板は真空の嫌悪なしに分離されるでしょう。したがって、真空中の運動は瞬間的ではないので、下の板は上の板にくっつくということになります。同時に、これらの板のあいだに、非常に短時間であっても、つまり、周囲の空気が真空を満たそうと動いているあいだは真空があるということがわかります。もし真空がないのであれば、周囲の空気の流入も動きも必要ではないでしょうから。したがって、真空は強引に、あるいは自然に反して存在を認められることがある(わたしの意見は、不可能なことを除いて自然に反することは何も存在せず、不可能なことは決して存在しないですが)と言わねばなりません。しかし、ここで別の難問が出てくるのです。それは、経験がこの結論の真実性をわたしに保証してくれたとしても、わたしの知性のほうはこのような結果をもたらした原因についてまったく満足させてくれないのです。二枚の板が分離するという結果は真空よりも先で、真空は分離のあとに生じるのですから。原因は、たとえ間を置かないとしても、少なくとも自然界では結果に先立たねばならず、明確な結果には同様に明確な原因がなければならないと思われるので、なぜ、すでに起こっている二枚の板の密着と分離されることに対する嫌悪の原因を、存在せず、あとで生じる真空に帰すことができるのか、納得できないのです。あの哲学者〔アリストテレス〕が明確に述べているところによると、存在しないものの作用は存在しないのです[2]。

**シンプリチョ**　このアリストテレスの公理を認めてしまったのですから、もうひとつの、真実でもっとすばらしいほう、つまり、自然はなされ得ないことをなそうとは企てないを否定したりはしないと信じます。この宣言によって、わたしたちの疑問は解決されると思います。真空の空間は同様に自らを嫌悪しますから、自然は、結果として必然的に真空を生じるようなことをするのを禁じているのです。二枚の板の分離がこのようなことです。

**サグレド**　シンプリチョさんの提出されたものがわたしの疑問にふさわしい解答だと認めますから、最初の話を続けることにしますと、この真空の嫌悪が石や金属、あるいはその他の、とても強固に結びつき、分離されるのを拒む硬い諸部分を引き留めるに充分だと思われます。わたしが理解し、信じているところでは、ひとつの結果にはひとつの原因だけがあるとしますと、あるいは、多くの原因があっても、ひとつにまとめられるとしますと、なぜ確かに存在する真空の嫌悪で抵抗力のすべてに充分ではないのですか。

**サルヴィアティ**　いまのところ、他の妨害がなければ真空だけで硬い物体の個々の部分を一体化させておくに充分かどうかという議論を始めたくはありません。ただし、二枚の板の場合には奮闘し、成果をあげる真空という原因も、それだけでは大理石や金属の硬い円柱の諸部分の堅固な接続には充分ではないと言っておきましょう。それらは、強引に力強くまっすぐに引かれると、最後には切り離され、分割されます。わたしが、このすでに知られている真空の抵抗力を、それがどんなものであれ、真空の抵抗力と協力して結合力を強める他のすべての抵抗力から区別する方法を見つけ、あなたに、それだけではそうした結果を生じるには充分ではないことを示せば、他のものを導入する必要があると認めるのではないですか。シンプリチョさん、彼はどう答えてよいかわからないようですので、助けてあげてください。

**シンプリチョ**　サグレドさんがためらっているのは、別の理由があるからに違いありません。明確で必然的な結論には疑問の余地はないのですから。

**サグレド**　シンプリチョさん、図星です。軍隊に支払うのに、毎年スペインから来る大量の金をもってしても足りないとすれば、兵士の賃金に小銭以外のものを蓄えておく必要があるのかどうかと考えていたところです。でも続けてください、サルヴィアティさん。わたしがあなたの結論を認めたと仮定して、真空の作用を他から切り離す方法を示し、それを測定して、それが話されている結果には不足しているということを理解させてください。

**サルヴィアティ**　あなたに守護神のご加護がありますように。真空の力を他から分ける方法について話し、次に測定法について話しましょう。分けるには、その各部分が真空の抵抗力以外に分割に対する抵抗力をまったくもたない連続体を考えましょう。それは、わたしたちのアカデミア会員がある論考のなかで詳細に証明したもので、水です。そこで水の円柱を準備し、それを引っ張って、その諸部分の引き離しに対する抵抗が感じられたときには、その原因は真空の嫌悪によって以外には認められないだろうということです。この実験のために、わたしはある装置を考案しました。言葉だけで述べるよりも小さな図を用いたほうが、それをもっとうまく説明できるでしょう。

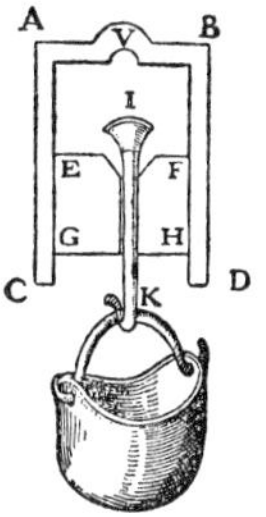


図において、ＣＡＢＤは金属、できればガラスの円筒の断面で、中空で、ロクロにかけられてまったく狂いがありません。そのなかに、隙間なくはまる木の円柱が挿入されており、その断面がＥＧＨＦで示されています。こ

の円柱は上下に押し動かすことができます。その中央には穴が開けられ、針金が通り、その端Kはカギ状に曲げられ、他端Iは円錐状または渦巻状に大きく膨らんでいます。木の上部も円錐状に表面が窪まされ、針金IKのKを下に引くと、円錐状になっている端Iがぴったりはまるように整形されています。木、お望みなら栓と呼んでもかまいませんが、EHを中空の円筒ADに差し込み、この円筒の上面に到達させることなく、二、三ディート〔一ディートは約一・九センチメートル〕の長さを残しておきます。これを上向きにして口CDの容器とし、渦巻状のIが木の窪みから少し離されて空気が抜けるようになっている栓EHの上に水を注ぎ、この空間を水で満たすのです。栓に水を注ぐと、木の穴は針金IKの太さよりも少し広くなっているので、空気はそこを通って出ていきます。空気が抜けてしまうと、針金をもとに戻して渦巻状のIでしっかりふさぐと、容器全体を回転させ、口を下向きにし、砂または他の重い物質の入った鉢をカギKにぶら下げます。それには、栓の上面EFが水の下面から離れてしまうほど積み込むことができますが、真空の嫌悪以外のいかなるものも水と栓の上面とを結びつけていません。次に、栓の重さを、針金、鉢、そのなかに入っているものといっしょに計って、真空の力の量を得ることにしましょう。水の円柱と同じ大きさの大理石またはガラスの円柱に、この大理石またはガラス自体の重さに加えて、先ほど計ったものすべての重さに等しい錘を吊るしましょう。これで破壊が起こるなら、まったく疑いなしに、真空という原因だけが大理石またはガラスの諸部分を結びつけていると断言することができます。しかし、不充分で、破断にはその四倍の重さを付け加える必要があるのなら、真空の抵抗力は五分の一で、その他の抵抗力は真空の抵抗力の四倍であると言わねばならないでしょう。

**シンプリチョ**　巧妙な工夫だということは否定できませんね。それでも、それには多くの困難があって、疑わしいですね。なぜなら、たとえ麻のクズ繊維やその他の柔らかい物質でしっかり取り囲んでいても、空気がガラスと栓のあいだから入り込まないと誰が保証してくれるでしょうか。それに、円錐Iを穴にしっかりはめるには、ワックスとかテレビン油で処理しても充分でないかもしれません。さらに、なぜ水の諸部分は膨張したり、希薄化したりしないのでしょうか。なぜ水または蒸気、あるいはもっと希薄な物質が、木またはガラスの小孔から入り込まないのでしょうか。

**サルヴィアティ**　シンプリチョさんはとてもじょうずに難点を言ってくれましたし、一部には、木を通り抜けて、あるいは木とガラスのあいだから空気が入り込む場合の解決策も提出してくれました。しかし、それ以上にわたしが強調しておきたいのは、わたしたちは時間とともに新しい知識を獲得して、提議された難点が起こるかどうかを知ることができるだろうということです。しかし、水は、空気で起こるように、強制的な力を加えられれば本質的に膨張するものであるとしても、栓が下がるのが見られるでしょう。もしガラスの最上部に、Vのように小さなへこみを作っておけば、ガラスまたは木の本体あるいは小孔を通って、空気または他のもっと希薄でアルコールのような物質が入り込むと(水はそれに場所を譲って)、隆起しているVに集まるのが見られるでしょう。これらのことが起こらなければ、実験は適切な用心のもとでなされたと保証されるでしょう。そして、水は膨張せず、ガラスは、どんなに希薄であっても、いかなる物質も通さないということがわかることになります。

**サグレド**　この論議のおかげで、長いあいだ驚くばかりで理解の及ばなかった現象の原因がわかりました。かつて、水を汲み上げるためにポンプのついた水槽を見たことがありました。それは、通常のバケツを使うよりも少ない労力で同量かそれよりも大量の水を得ることができると、おそらくそう信じていた人物によって設置されたのですが、それは根拠のないことでした。このポンプには上方にピストンと弁があり、この装置が下にあるポンプのように衝撃によってではなく、吸引によって水を汲み上げるのです。これは、水槽の水が一定の高さまであれば大量に水を引き寄せますが、水が限界以下のときには、ポンプはもう働きません。最初にこの出来事を見たとき、わたしはこの装置が故障したと信じたのです。修理のために親方を見つけると、彼は、水が下がりすぎて高所まで上げられないこと以外には何の欠陥もないと、わたしに言ったのです。彼がわたしに言い足したのは、ポンプを使っても、水を高所に上げるどんな器械を使っても、一八ブラッチョより髪の毛一本でも高く上げることはできないということでした。ポンプが太くても細くても、これが限界の高さだというのです。これまでわたしは注意を怠ってきたようで、吊るされたロープ、木の棒、そして鉄棒は、どんどん伸ばしていくと、自重で折れてしまうということを理解しながら、それと同じことがもっと容易に水の束あるいは棒で起こることがあるとは思い浮かばなかったのです。ポンプのなかに引き上げられたものこそ水の円柱であって、それは上から吊るされ、どんどん伸ばされていくと、それを越えると引っ張っている重さが過剰になってしまう限界に達して、ロープと同じように、引きちぎられるのです。

**サルヴィアティ**　事態はそのとおりに進行しています。水の量がどれほどであっても、この一八ブラッチョの高さが定められた限界の高さですから、つまり、ポンプがとても太くても細くても、あるいは麦わらのようにとても細くても、支えることができる高さですから、太くても細くても、一八ブラッチョの管のなかに含まれている水の重さを計れば、どんな硬い物質からできていても、この管の内径と等しい大きさの円柱に働く真空の抵抗力の値を得ることができるでしょう。これだけお話ししたのですから、金属、石、木、ガラスなどのすべてについて、どんな太さの円柱、糸、棒、その他であっても、その長さがどこまでも伸ばされると、自重がかかって耐えられなくなり、破断することがよく見られるのはどうしてかを示すことにしましょう。任意の太さと長さの銅線を例にとり、その上端を固定し、他端に錘を付けて、それを次第に重くしていくと、ついには切断してしまいます。それが支えられる最大荷重を、たとえば五〇リブラ〔一リブラは約三三〇グラム〕としましょう。五〇リブラに自重、たとえば八分の一オンチャ〔一オンチャは約三〇グラム〕を加えた重さの銅を同じ太さに引き伸ばしたものが、自分自身を支えることができる最大の長さということが明らかです。さらに、切断される銅線の長さを測定し、たとえば一ブラッチョとしましょう。八分の一オンチャの重さで、自分自身と五〇リブラ近く、つまり、八分の一オンチャの四八〇〇倍を支えることができるのですから、すべての銅線は、その太さに関係なく、四八〇一ブラッチョの長さまで自分を支えることができ、それ以上ではないと言いましょう。このように、四八〇一ブラッチョの長さまで自分を支えることができる銅の棒は、一八ブラッチョの長さでこの銅と同じ太さの水の柱の重さに相当する抵抗を、他の抵抗とは別に、真空から受けています。たとえば、銅の重さを水の九倍とすると、銅のどんな棒でも、破断に対する抵抗力のうち真空を原因とするのは、この棒の二ブラッチョの重さと同じです。同じ議論と操作によって、あらゆる硬い物質の糸または棒の自分を支えられる最大の長さと、同時に、その抵抗力のうち真空の占める部分がどれほどかを見つけることができます。

**サグレド**　しかし、抵抗力の残りが何であるのか、つまり、真空に由来するものを除いて、固体の諸部分を結びつけている糊とか鳥もちとは何かを説明してもらっていません。わたしは、焼けつくような炉のなかで二、三カ月とか四カ月、それどころか一〇カ月も一〇〇カ月も燃えることなく、水分も失わないような膠を想像することができません。銀、金、ガラスは長時間炉で熔かされ、取り出されて冷えてくると、その諸部分は集まって、もとのように再び結びつくのです。これ以外にも、ガラスの諸部分の結合について抱いている問題は、膠の諸部分についてもあります。つまり、それらを強固に結びつけているものは何かということです。

**サルヴィアティ**　ちょっと前に、あなたに守護神のご加護がありますようにと言いました。わたしも同じ苦境にあるのです。わたしは、真空に対する嫌悪はとても強引にやらなければ二枚の板を引き離すことができないほどであるのは明らかで、大理石やブロンズの柱を大きく二つに分離するにはもっと大きな力が必要だと確かめましたから、それが同じ物質の小さな部分、さらに最小部分にはなく、その凝集力の原因でもないなどと考えることはできません。結果にはただひとつの真で最有力な原因があるのですから、他の接着剤が見つかるまでは、すでに見つかっている真空という接着剤で充分かどうかを考えてみてはいけないのでしょうか。

**シンプリチョ**　固体を大きな二つの部分に分離するさいに、大きな真空の抵抗力は微小部分を結びつけている力に比べて非常に小さいということをすでに証明したとすると、あなたは、この後者は前者とはまったく異なるものであると、なぜ確信をもって認めようとはしないのですか。

**サルヴィアティ**　サグレドさんは、全軍隊に支払うには大量の金をもってしても充分ではないのに、兵士それぞれには通常の税金で徴収したソルドやクアットリーノ銅貨といった少額の貨幣で支払われていると、これに答えています。別の微小な真空が微小な部分に作用しており、諸部分のすべてを結びつけているこの真空と同じように、小銭がいたるところで用いられていると知らない人がいるでしょうか。ちょっと思いついたことをお話ししましょう。わたしはこれを真の解答としてではなく、まったく未消化で、もっと深く考察されるべき空想として提供するのですが、そこから好みに合ったものを取り出して、残りは思うままに判断してください。火がさまざまな金属の微粒子のあいだでくねり、それらが非常に強固に結びついているように見えても、それらを分離し、引き離してしまうのはどうしてかと考えることがあります。次に火を遠ざけると、もとの粘着力を取り戻して再結合し、金の量はまったく減っておらず、他の金属についてはほとんど減っておらず、長時間熔かされていてもそうなのです。これは、火の微細な粒子が金属の狭い小孔（それらは狭苦しく、わずかな空気も他の多くの液体も通過することができません）に侵入し、微小粒子のあいだに散らばっている小さな真空を満たし、微小粒子を相互に引きつけて分離するのを妨げていた真空の強制的な力から解放するために起こったのだと考えたのです。こうして自由に動けるようになると、かたまりは液体になり、それらのあいだに火の粒子が留まっているうちはそのままです。次に、それらが去って、以前の真空を残していくと、いつもの引きつけの力が戻り、最終的に諸部分が結びつくのです。シンプリチョさんの異論に対する答えとしては、この真空は非常に小さくて、その結果、それぞれは容易に圧倒されてしまうとしても、それらの数え切れないほどの多さが抵抗を(言ってみれば)限りなく増大させるのです。非常に弱い勢いを無数に足し合わせた結果生じる力がどのようなもので、どれほどかについては、きわめて明確な論証があります。太いロープで支えられた数百万リブラの錘が、南風に運ばれてきた、あるいは淡い霧のなかに拡がっている無数の水の原子の攻撃に屈服し、最終的には打ち負かされてしまい、持ち上げられるのを見ることがあります。水の原子が空気中をただよい、ぴんと張ったロープの繊維と繊維のあいだに入っていくと、ぶら下がった錘の大きな力も侵入を防ぐことができず、狭い隙間に入り込むとロープを膨らまし、その結果それを縮め、そのためにとても巨大なものが無理やり持ち上げられるのです。

**サグレド**　抵抗力が無限ではないかぎり、大量の小さな力によって圧倒されるということに疑いはありません。多数のアリなら小麦を積んだ船を陸に引き寄せるかもしれません。アリが上手に一粒の小麦を運ぶのは日常的に見られることですし、船のなかに小麦の粒が無限にあるわけではなく、一定の数しかありません。その四倍とか六倍も積むことができるとしても、同じだけ別のアリを連れてきて仕事をさせれば、小麦も船も陸に運ぶでしょう。これには多数のアリが必要ですが、金属の微小部分を結びつけている真空についても同様だと思われます。

**サルヴィアティ**　しかし、無限に必要なら、あなたは不可能だと考えていませんか。

**サグレド**　いいえ、金属が無限に大きくないとすれば、さもなければ……

**サルヴィアティ**　さもなければ、何ですか。そら、パラドックスに手を出してしまいましたよ。有限の連続的な拡がりのなかに無限の真空が存在しうるということが矛盾ではないと、何らかの方法で証明できるかどうかを考えることにしましょう。同時に、少なくとも、アリストテレスによって、彼自身が驚嘆すべきであると呼んだもののなかにあるきわめて驚嘆すべき問題の一解決法が得られることになります。わたしは『機械学の諸問題』にあるもののことを言っているのです。この解決法は、彼自身が主張していることに劣らず啓発的かつ決定的で、とても学識あるグェヴァラ師が非常に鋭く考察しているものとも違います(3)。しかし、まず、他の人によって言及されて

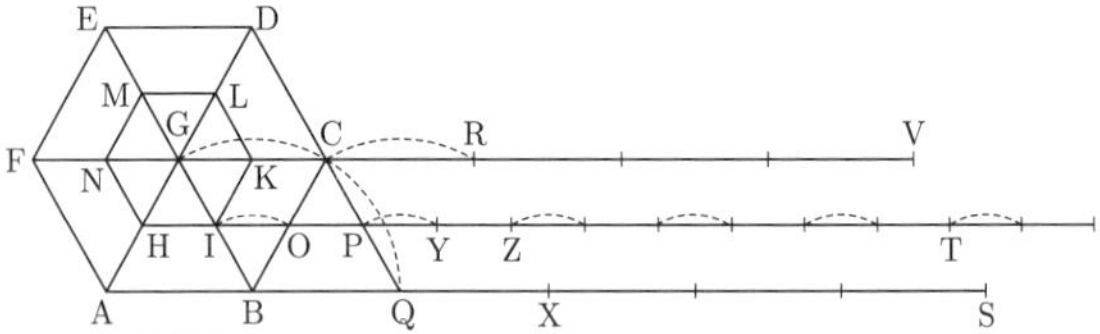


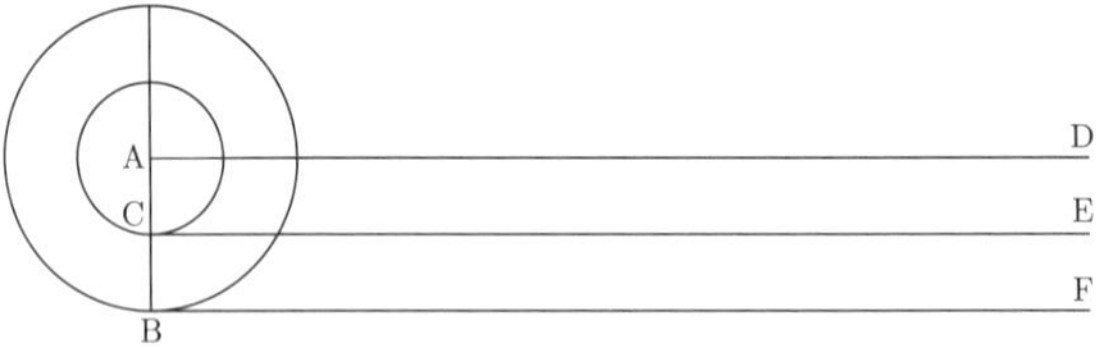


いない命題を説明しておく必要があります。この問題の解明はそれに依存しているのです。わたしが間違っていなければ、これはのちに、別の新しく驚くべき知識をもたらします。これを理解するため、図を注意深く描くことにしましょう。辺の長さが任意の正多角形、今のところは六角形ＡＢＣＤＥＦが中心Ｇのまわりに描かれているとしましょう。これと相似で、かつ同心のもうひとつの小さい六角形を描き、それをＨＩＫＬＭＮとしましょう。大きいほうの辺ＡＢをＳのほうに限りなく伸ばします。小さいほうの対応する辺ＨＩを直線ＨＴがＡＳに平行になるように同じ方向に、中心を通るＧＶをそれらと平行に描きます。これが終わると、大きいほうの多角形が小さいほうの多角形とともに直線ＡＳ上を回転すると考えましょ

う。回転が始まると、辺ABの端の点Bはそのままで、かどAは上がり、点Cは弧CQを描いて下がり、辺BCがそれと等しいBQに一致するのは明らかです。しかし、この回転中に、小さな多角形のかどIは、IBがASに対して傾いていますから、直線ITの上に上がります。この点Iは、点CがQに達するまでは平行線IT上に戻ることはありません。このとき、Iは直線HTから外れた弧IOを描いたのちにOに降下するでしょう。さらにこのとき、辺IKはOPに移動しているでしょう。しかし、中心Gは直線GVから離れたところを進み続け、弧GCを描いたあとでないと、そこに戻ることはないでしょう。この第一段階が終わると、大きい多角形は移動し、辺BCが線分BQに重なり、小さい多角形の辺IKは線分IOに接触することなく、その上を通って線分OPに重なっているでしょう。中心GはCに達しますが、ずっと平行線GVから離れたところを通ります。最終的に、全体の図は最初の図と同じ配置になるでしょう。さらに回転を続けて、第二段階になると、大きい多角形の辺DCは線分QXに重なり、小さい多角形のほうのKLは(まず弧PYに跳ね上がって)YZに落ち、中心はGVから離れたところを進み続け、CRに大きく跳ね上がったのち、RでGV上に落ちます。最終的に、完全に一回転してしまうと、大きな多角形はASに沿ってその周に等しい六つの線分〔の距離〕を間隔をあけることなくたどります。同様に小さい多角形もその周に等しい六つの線分を刻みますが、平行線HTの、この多角形とは接触しない部分を弦とする五つの弧は間隔があいているためにつながっていません。最後に、中心Gは、六つの点を除いて、平行線GVとは出合いません。ここから、小さな多角形の通過した距離は大きいほうの通過した距離とほとんど同じで、つまり、線分ASに〔ほぼ等しい〕線分HTは、五つの弧の距離も含んでいると解すると、これらの弧の弦ひとつ分だけ短いということがわかります。さて、これらの六角形を例として提出し説明したことは、いくら辺があろうとも、他の多角形すべてに当てはまると理解してください。それらが相似で、同心に結び合わされており、大きいほうの回転で他方も、それがどれほど小さくても回転させられるという条件のもとでですが。つまり、小さいほうによって通過された距離に、小さいほうの多角形の周のどの部分にも接触しない弧の下にある区間を算入すれば、それらによって通過される線分はほとんど等しいということを理解してください。したがって、辺が一〇〇〇ある大多角形をその周に等しい直線だけ動かしましょう。同時に小さいほうはほぼ等しい直線を通過しますが、その一〇〇〇の辺に等しい一〇〇〇の小さな部分と、多角形の辺に重なる一〇〇〇の小さな線分との関連で名付けるなら、一〇〇〇の介在する空虚な空間とからとぎれとぎれに構成されています。ここまで述べたことには、何の困難も疑いもありません。それでは、次のことについて答えてください。中心、たとえばAのまわりに二つの結びついた同心円を描き、それらの半径上の点C、Bから接線CE、BFを引き、それらと平行に中心AからADを引きましょう。大きい円が直線BF（他の二線分CE、ADとともに、円周に等しいとする）上で一回転させられたとき、小さな円と中心はどうなっているでしょうか。それが線分ADの全長を、それに接しながら通過するのは確実です。小さい円の周は、すでに多角形がしたのと同じように、CEに接しながら、その全長を進んでいるでしょう。唯一の違いは、線分HTは、小さな多角形の周によって全体を触れられているのではなく、その辺に接する部分と同数の飛び越えられた空虚が介在して、手つかずのところがあるのです。しかし、この円の場合、小さい円の周は線分CEから離れることは決してなく、そのために、CEには触れられない部分もなく、円周上にはこの直線に触れない点もないのです。それでは、どうして小さな円は飛び跳ねることなく、自分の円周よりも長い線上を通過できるのでしょうか。

**サグレド**　言えるかどうかわかりませんが、点でしかない円の中心がＡＤ上を、それに接しながら単独で引きずられるように、小さいほうの円周の各点も線分ＣＥのいくつかの小さな部分に沿って引きずられながら、大きいほうの動きによって引っ張られるのではないですか。

**サルヴィアティ**　それは、二つの理由であり得ません。まず、Ｃのような接点のいずれかが線分ＣＥ上の何らかの部分を引きずられ、他はそうではないとしているのが最大の理由ではないでしょうか。もしそうなら、接点は(点ですから)無数にあるので、ＣＥ上を無限に引きずられ、その長さは無限の直線になりますが、ＣＥは有限です。もうひとつの理由は、大きい円はその回転にともなって接点を連続的に変えていきますから、小さい円も同様に変えなければなりません。点Ｂ以外の点から点Ｃを通って中心Ａまで直線を引けないのですから、大きい円周が接点を変えると、小さいほうも接点を変え、小さいほうのどの点も直線ＣＥの一点以上に接することはないのです。これだけではなく、多角形の回転の場合も、小さいほうの周のどの点も、その周が進んだ直線の一点以上と一致することはないのです。これについては、次のことを考えれば容易に理解できます。線分ＩＫがＢＣに平行で、ＢＣがＢＱに重なるまでＩＫは

ＩＰ上に持ち上がったままで、ＢＣがＢＱと結びつく瞬間までそれと一致することはないのです。そして、ＩＫはＯＰと結びついた瞬間に、直ちにその上へと上昇するのです。

**サグレド**　この話はとてもこんがらがっていて、どんな解決策もわたしの心に浮かびません。あなたの考えを聞かせてくれませんか。

**サルヴィアティ**　さきに検討した多角形の考察に戻ることにしましょう。その現象は理解しやすく、すでにわかっています。それについてお話ししますと、一〇万の辺をもつ多角形の場合、小さいほうの一〇万の辺によって通過される線分は、大きいほうの周によって通過される線分、つまり一〇万の辺をつなげて引き伸ばしたものに等しいのですが、ひとつおきに一〇万の空虚な空間が介在しています。同様に、円（辺が無限にある多角形です）の場合、大きい円の連続的に配置された無限に多くの辺によって通過される線分は、小さいほうの無限に多くの辺によって通過される長さに等しいのですが、こちらには同数の空虚が介在しています。辺は数えられるものではなく、無限ですから、介在する空虚も数えられるものではなく、無限です。つまり、前者〔大きい円によって通過される線分〕は無限に多くの点でぎっしり詰まっており、後者には無限に多くの点が詰まった部分と、無限に多くの空虚な部分があるのです。ここで注目してほしいのは、線分を有限部分に、したがって数えられる部分に分解し、分割したあと、同数の空虚な空間を挿入することなしには結合して繋がっていたときに占めていた長さよりも大きくすることはできないということです。しかし、線分が有限ではない部分に、つまり無限に多くの不可分部分に分解されたと想像すると、大きさのある空虚な空間を挿入するのではなく、無限に多くの不可分な空虚を挿入することで長大にすることができると思われます。単純な直線について話したことは、面や固体が量をもたない無限に多くの原子からできていると考えれば、それらについても言えるということがわかるでしょう。それらを有限部分に分割した場合には、大きさのある空虚な空間を挿入することなしには、固体が最初に占めていたよりも広い空間に配置できないことは疑いありません。ここで空虚と言っているのは、少なくとも固体の素材が欠けているということです。しかし、最高度で究極的な〔面や固体の〕分解をし、量をもたない無限に多くの基本構成要素にした場合には、大きさのある空虚な空間を挿入するのではなく、無限に多くの量をもたない空虚を挿入することによってのみ広大な空間に移されると考えることができます。このように、たとえば金の小球は、大きさのある空虚な空間を受け入れなくても、非常に大きな空間へと移すことができるということに何の矛盾もありません。ただし、金が無限に多くの不可分部分から構成されていると認めたときですが。

**シンプリチョ**　あなたは例の古代哲学者が流布させた真空という道を通って歩んでいるようですね。

**サルヴィアティ**　しかし、あなたは「神の摂理を否定した人物である」と付け加えていませんね。わたしたちのアカデミア会員のある敵対者が、同じような機会に、まったく不適切にも付け加えていますよ。

**シンプリチョ**　実際、悪意ある反対者のねたみには不快しかありません。しかし、礼儀をわきまえて、そのような話題には触れないことにします。それだけではなく、それが、信仰が厚く敬虔で、しかもカトリック教徒で善良なあなたのように節度があって秩序だった精神とどれほど相容れないかを知っているからです。ただし、話をもとに戻すと、論じられたことから、わたしには実際のところ解決できそうもない多くの困難が生じてくるように感じます。そのひとつについて、次のようになると思います。もし二つの円の周が二線分ＣＥ、ＢＦに等しく、後者は連続的に得られ、前者には無限に多くの空虚な空間が介在しているとすると、どうすれば点でしかない中心から引かれたＡＤが、無限に多くのものを含んだ点に等しいと呼べるのでしょうか。さらに、点から線、不可分から可分、量をもたないものから量をもつものを作るのは、わたしには乗り越えがたい絶壁だと思われます。この困難に加えて、アリストテレスによって非常に説得的に論駁されている真空を許容しなければなりません。

**サルヴィアティ**　実際、それ〔困難〕がありますし、他にもあります。しかし、わたしたちは無限と不可分を論じており、前者はその大きさのために、後者はその小ささのために、わたしたちの限られた知性では理解できないのだということを思い出してください。それでも、人間というものはそれらを論じるのを避けたりはしないのです。ちょっと我がままをさせていただいて、わたしの空想を話させてください。それは必然的な結論ではないにしても、少なくとも新奇性のゆえにいくつかの驚くべきものをもたらします。最初の話の道筋から大きく逸れてしまうのは不都合だと思われるかもしれませんし、愉快ではないかもしれませんが。

**サグレド**　不可欠でなくても、わたしたちが自由な意志で選んだ事柄についての、生き生きとした仲間内の話が与えてくれる恩恵と特典を楽しませていただけませんか。

あなたに多くの疑念を起こさせて、何も解決してくれない死んだような書物と付き合っているのではないのです。ですから、わたしたちの議論の途中で思い浮かんだ考えを、わたしたちにも分け与えてください。しなければならない仕事もありませんから、いま持ち上がったテーマを続けて、解決する時間はたっぷりあります。とくに、シンプリチョさんによって出された疑問は決して見過ごすわけにはいきません。

**サルヴィアティ**　お望みどおりにしましょう。最初の、どうして一点が直線に等しいと理解することができるのかというところから始めることにします。いまのところ、驚異が時には奇跡によって鎮められるように、ありそうもないことを、他の同じようなあるいはもっと大きなありそうもないことで解決する、少なくとも和らげるように努力することしかできないようです。次のように説明することにしましょう。二つの等しい面と、それを底面とする二つの等しい物体が置かれているとします。それらは、それらのあいだの等しさを保ったまま、同時に連続して等しく縮小していき、最終的に、面と立体は等しさを保ち続けるのをやめ、立体の一方と面の一方は非常に長い線となり、他方の立体と他方の面は一点になる、つまり、後者は一点に、前者は無限に多くの点になるとします。

**サグレド**　これは本当にすばらしい提案のように思えます。説明と証明を聞かせてください。

**サルヴィアティ**　論証は純粋に幾何学的ですから、図を描く必要があります。そこで、半円ＡＦＢがあり、その中心はＣであると考えてください。その周囲に長方形ＡＤＥＢがあり、中心から点Ｄ、Ｅに直線ＣＤ、ＣＥが引かれています。さらに、ＡＢ、ＤＥに垂直に半径ＣＦを描き、不動であるとします。それを軸として図全体を回転させたとしましょう。長方形ＡＤＥＢによって円柱が、半円ＡＦＢによって半球が、三角形ＣＤＥによって円錐が描かれるのは明らかです。次に、半球が取り除かれ、円錐と円柱の残りの部分があると想像してください。この残りの部分は、形が椀に似ているので、椀と呼ぶことにしましょう。まず、この椀と円錐〔の体積〕が等しいことを証明し、次に、椀の底面である、直径がＤＥで中心がＦの円に平行な平面を描き、それが、たとえば線分ＧＮを通り、点Ｇ、Ｉ、Ｏ、Ｎで椀を、点Ｈ、Ｌで円錐を切断するとすれば、円錐の部分ＣＨＬは、輪郭が三角形ＧＡＩ、ＢＯＮで表わされている椀の部分とつねに等しくなると

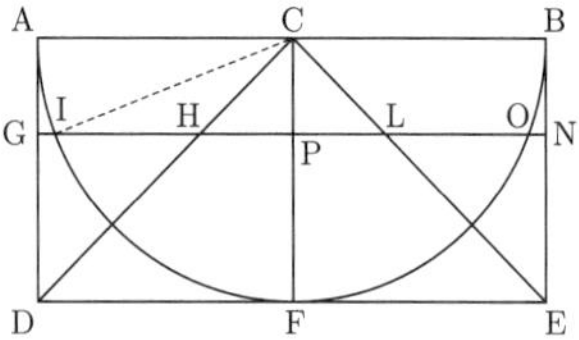

いうことを証明しましょう。さらに、この円錐の直径ＨＬの円である底面は、椀の部分の底面である輪の形をした、幅ＧＩの帯と呼びうる面と等しいということが立証されるでしょう。（ここで、数学的定義とはどのようなものかということに留意してください。つまり、それは名称の付与に過ぎず、わたしたちが会話で退屈な労苦を省くために取り決めておき、採用した略語を使いたくなるようなものです。この退屈さは、たとえば、この面を「環状帯」と呼び、椀の鋭い立体部分を「円形カミソリ」と呼ぶことに合意していなかったために、あなたもわたしも感じているのです。）さて、あなたがそれをどのように呼ぼうと、平面はどの高さにあっても、底面、つまり直径ＤＥの円と平行であれば、二つの立体、つまり、円錐ＣＨＬと椀の上部がいつも等しくなり、同様に、それら立体の二つの底面、つまり、前述の帯と円ＨＬが等しくなるように切断する、ということがわかれば充分です。ここから、先の驚異の話になります。つまり、切断している平面が線分ＡＢに向かって上昇し続けるとしても、切断されている立体の部分は等しいままで、それらの底面である面も等しいままです。さらに上昇し続けると、底面（それらの面積はつねに等しい）とともに二つの立体（つねに等しい）はなくなってしまい、一方の組み合わせは円周になり、他方は点に、つまり椀の上縁と円錐の頂点になります。ここで、二つの立体が縮小していくあいだ、それらの等しさは最後の瞬間まで保たれていますから、もっとも高くなる縮小の最終極限においても、それらは等しく、一方が他方よりも無限に大きいというわけではないと言ってもいいでしょう。したがって、大きな円周は一点に等しいと宣言できるでしょう。立体に起こったことは、それらの底面である面にも起こり、それらも等しさを保ちながらともに縮小し、最終的に、究極的に縮小した瞬間に、一方は円周に、他方は一点になってしまいます。これらは等しい大きさのものが残していった残骸と痕跡であるとするなら、どうして等しいと宣言してはならないのでしょうか。次に注意してほしいのは、これらの容器に広大な天の半球ほどの収容能力があって、その最上部の縁とそのなかの円錐の頂点がつねに等しさを保っているとすれば、最終的には、前者は巨大な天球の周に等しい円周となり、後者は単なる点になるということです。そのために、こうした思索が導くところに従い、あらゆる円周は〔大きさが〕等しくないように思われても、互いに等しく、それぞれが一点に等しいと宣言することができます。

**サグレド**　この思索は、とても洗練されており、貴重だとわたしには思われます。反対できたとしても、そうしたくないほどです。そうするのは、この美しい構造を枝葉末節に固執した攻撃によって踏みにじり、ずたずたにするほとんど冒瀆行為だと思われますから。しかし、それらの立体およびそれらの底面がつねに等しいという、あなたが幾何学的と言っている証明を、わたしたちがすっかり満足するまで示してください。わたしが思うに、そのような結論が依存している哲学的考察は繊細ですから、とても刺戟的でないはずはありません。

**サルヴィアティ**　証明は短く、簡単です。描かれた図に戻ることにしましょう。角IPCは直角ですから、半径ICの平方は辺IPとPCの二つの平方の和に等しい。ところが、半径ICはACに等しく、それはGPに等しく、CPはPHに等しい。したがって、線GPの平方はIPの平方とPHの平方の和に等しく、その四倍はそれらの四倍に等しい。つまり、直径GNの平方はIOとHLの二つの平方の和に等しい。円〔の面積〕はそれらの直径の平方に比例しているから、直径GNの円〔の面積〕は直径IOとHLの二つの円〔の面積〕の和に等しい。共通する直径IOの円を引き去れば、円GNの残りは直径がHLの円に等しいでしょう。これが、最初の部分に関するものです。もうひとつの〔体積についての〕部分については、今のところ証明しないでおきましょう。これを知りたいのであれば、現代の新たなアルキメデスであるルカ・ヴァレリオさんの『立体の重心について』第二巻の命題一二にあります(4)。それは彼の別の命題のためのもので、わたしたちにとっては、すでに説明した面積がつねに等しいということと、同じように縮小されていくと、一方は一点に、他方は円周になってしまうということがわかるだけで充分です。この結論にこそ、わたしたちの驚異があるのですから。

**サグレド**　証明は巧妙で、それに基づく考察には感嘆します。シンプリチョさんから出されたもうひとつの困難について、とくに付け加えることがあれば、聞かせてください。議論しつくされたので、ないと思いますが。

**サルヴィアティ**　わたしの考えていることがいくつかあるのですが、まず、少し前に述べたことを繰り返すことにします。つまり、無限は、不可分同様に、それ単独ではわたしたちに理解できないものです。ここでは、それらを結びあわせて考えてください。不可分の点で線を作ろうとすれば、無限に多くの点が必要になります。このように、無限と不可分とを同時に理解しなければなりません。この問題に関して、多くのことが何度も思い浮かびました。そのあるものはとても考慮に値すると思われますが、すぐには思い出せません。議論が進むにつれ、あなた方、とりわけシンプリチョさんに反論や疑問を起こさせることによって、そうした刺戟がなければ幻想のなかに眠っていたことを、逆にわたしに思い出させてくれるかもしれません。ですから、いつものように自由に、わたしたち人間の気まぐれを持ち込むのを許してください。わたしたちの議論の唯一の正しい確かな判定者であり、わたしたちの暗く不確かな小道、むしろ迷路における無謬の導き手である神の教義と対比して、そう呼んでもかまわないでしょう。

不可分なものから連続的なものを形成するということに対して、いつも持ち出される反論の代表的なもののうち、ひとつの不可分にもうひとつの不可分を加えても、可分なものを作ることはできないというのがお決まりのものです。もしできるとすれば、不可分なものも可分ということになるというのです。なぜなら、二つの不可分なもの、たとえば二つの点が結合してひとつの量を作り、それが分割可能な線であるとすると、三つ、五つ、七つ、もっと多くの奇数個から構成されたものはもっと多くのものに分割されるでしょう。さらに、これらの線は二つの相等しい部分に切断可能ですから、その中央に配置されている不可分なものも切断可能ということになるからです。これと同種の他の反対意見には、不可分なものが二つ、一〇、あるいは一〇〇、一〇〇〇であっても、可分割な大きいものを作ることはなく、無限に多くのものがそうするのだと述べて、それに味方する連中に言い返してやります。

**シンプリチョ**　突然、解けそうもない疑問が出てきました。他よりも長い線分があるというのは確かです。どちらも無限に多くの点を含んでいるのなら、同種のもののなかに無限よりも大きいものがあると認めなければならなくなります。長い線分に含まれる点の無限は、短い線分に含まれる点の無限を上回っているからです。ところが、無限よりも大きい無限があるというのは、わたしにはまったく理解できない考えです。

**サルヴィアティ**　これは、わたしたちの有限の知性で無限について理解しようとし、わたしたちが有限で境界のあるものに与えた属性をそれらに与えることによって論じることから生じる困難のひとつです。わたしが考えるに、これは不適切なことで、大きい、小さい、等しいといった属性は無限にはふさわしくないからです。これらについては、あるものが他よりも大きい、小さい、あるいは等しいとは言えないのです。これまでの論議で思いついた証明がありますから、もっと明確な説明をする代わりに、疑問を提議したシンプリチョさんに質問することにしましょう。

あなたは、どれが平方数で、どれが平方数でないか、よく知っていますよね。

**シンプリチョ**　よく知っています。平方数とは、ある数とそれ自体との掛け算ででできたものです。四、九などが平方数で、前者は二、後者は三にそれ自体を掛けることでできます。

**サルヴィアティ**　よろしい。その積が平方数と呼ばれるように、それらを生み出すほう、つまり、掛けられる数は辺とか根と呼ばれること、さらに、ある数にそれ自体を掛けていないものは決して平方数ではないことも知っていますよね。だから、平方数と非平方数とを含むすべての数は平方数よりも多いと言ったとすると、とても正しい命題を言ったことになります。そうですよね。

**シンプリチョ**　そうとしか言いようがありません。

**サルヴィアティ**　次に、わたしが平方数はいくつあるかと質問すれば、根の数だけあると正直に答えるでしょう。すべての平方数にはその根があり、すべての根にはその平方数があり、どの平方数にもひとつ以上の根はなく、どの根にもひとつ以上の平方数はないからというわけです。

**シンプリチョ**　そのとおりです。

**サルヴィアティ**　しかし、もしわたしが根はいくつあるかと質問すれば、何らかの平方数の根とならない数はないから、数のすべてと同じだけあることを否定することはできません。そうだとすると、平方数は根と同じだけあり、根は数のすべてですから、平方数は数のすべてと同じだけあると言わねばなりません。最初に、数のすべては平方数よりも多く、大部分は平方数ではないと言いました。それにもかかわらず、平方数の量は、数をどんどん先へ進めていくと、大きな比率で減少していきます。一〇〇までには一〇の平方数があり、一〇分の一が平方数であると言えるほどです。一万まででは一〇〇分の一だけが平方数で、一〇〇万まででは一〇〇〇分の一しかないのです。ところが無限に多い数では、それを想像できたとして、数全体と同じだけの平方数があると言わねばなりません。

**サグレド**　それで、結論はどういうことになるのですか。

**サルヴィアティ**　わたしには、次のことしか決定的に言うことはできません。すべての数は無限に多く、平方数は無限に多く、それらの根も無限に多く、平方数の量はすべての数の量よりも少ないということも多いということもない。最終的な結論として、等しい、大きい、小さいという属性は無限には場違いで、有限量にのみ生じるのです。だから、シンプリチョさんがいくつかの等しくない線分のことを持ち出して、どうして長い線分には短い線分よりも多くの点がないということがありうるのかと質問すれば、わたしは、それらが多いとか少ないとかは決してなく、それぞれに無限に多くの点があると答えます。実際、わたしが彼に、ある線分には平方数と同じだけの点があり、他のより長い線分には数の総量と同じだけの点が、より短い線分には立方数と同じだけの点があると答えたとすれば、ある線分に他よりも多くの点を置き、それにもかかわらず、それぞれに無限に多くの点を置いたことになり、彼を満足させることができたでしょうか。最初の困難についてはこれだけです。

**サグレド**　ちょっと待ってください。いま思いついたことを、あなたの話に付け加えさせてください。これまで話されたとおりだとすると、ある無限が他の無限よりも大きいということだけでなく、ある有限よりも大きいということさえ言えなくなると思われます。その無限数が、たとえば一〇〇万よりも大きいとして、その一〇〇万から次々と大きいほうに進んでいくと、無限のほうに近づいていくことになります。そうではなくて、むしろ逆で、大きい数のほうに進んでいくほど、無限数から遠ざかるのです。なぜなら、大きい数をとればとるほど、そこに含まれる平方数はまばらになっていきます。ところが、先ほど確定したように、無限数に含まれる平方数は数の全体よりも少なくはないのです。ですから、大きい数のほうへ進めば進むほど、無限数から遠ざかるのです。

**サルヴィアティ**　ですから、あなたの巧みな論議から、大きい、小さい、等しいという属性は無限相互だけでなく、無限と有限のあいだでも場違いだと結論されます。

ここで、もうひとつの考察に移ることにしましょう。線や他の連続量はどこまでも分割可能な部分に分割されますから、それらが無限に多くの不可分から構成されているというのは避けがたいことだと思われます。なぜなら、永遠に続けることができる分割と再分割は、それらの部分が無限にあるということを前提としています。そうでなければ、再分割は終わってしまうでしょう。無限に多くの部分があるということは、結果的に量がないということになります。なぜなら、無限に多くの量があれば、無限に伸びてしまうことになります。このようなわけで、連続量は無限に多くの不可分からできているのです。

**シンプリチョ**　しかし、有限の大きさのある部分への分割をどこまでも続けられるとすると、どうしてそのために大きさのないものを持ち込む必要があるのですか。

**サルヴィアティ**　有限の大きさのある部分への分割を永遠に続けることができると

いう、まさにそのことが、無限に多くの大きさのない部分から構成されているということを必要とさせるのです。ですから、もっと厳密に考えるためにあなたに質問しますが、連続量に含まれる有限の大きさのある部分は有限個か、それとも無限に多いかをはっきり言ってください。

**シンプリチョ**　無限でもあり、有限でもあると答えます。潜在的には無限で、現実的には有限です。潜在的に無限であるというのは分割前で、現実的に有限であるというのは分割されたあとです。なぜなら、部分は、分割されるか、少なくとも印を付けられたあとでなければ、その全体のなかに現実的に存在しているとは理解されないのです。さもなければ、潜在的に存在していると言われます。

**サルヴィアティ**　それでは、たとえば二〇パルモの長さの線分は、二〇の等しい部分に分割されたあとでないと、現実的にはそれぞれ一パルモの線分二〇本を含んでいるとは言われず、分割前には潜在的にのみ含んでいると言われるのですね。あなたの言われるとおりだとして教えてほしいのですが、そうした部分に現実的に分割されると、最初の全体量は増えますか、減りますか、それとも同じ大きさのままですか。

**シンプリチョ**　増えも減りもしません。

**サルヴィアティ**　わたしもそう思います。ですから、現実的にしろ、潜在的にしろ、連続量に含まれる有限の大きさのある部分は、最初の量を増やしも減らしもしないのです。しかし、その全体に現実的に含まれている有限の大きさのある部分が無限に多いとするなら、全体を無限の大きさにすることは明らかです。ですから、有限の大きさのある部分が潜在的にのみ含まれているとしても、全体が無限大でないかぎり、有限の大きさのある部分を無限に含むことはできないのです。ですから、有限の部分には、現実的にも潜在的にも、大きさのあるものを無限に多く含むことはできないのです。

**サグレド**　それではどうして連続量を、さらに分割可能な部分にとめどなく分割することができるのでしょうか。

**サルヴィアティ**　現実的と潜在的とを区別したことが、他のやり方では不可能なことをあるやり方で実行できるようにしたのだと思います。しかし、計算の仕方を変えて、この区別をもっとうまく調停してみましょう。ある限られた連続量に含まれる有限の大きさのある部分の数は有限か、無限かと尋ねる問題については、少し前にシンプリチョさんが答えたこととはまったく逆に、有限でも無限でもないと答えることにしましょう。

**シンプリチョ**　そのような答えがあるとは考えてもいませんでした。有限と無限とのあいだに中間段階が見つかるとは考えていなかったのです。それでは、あるものを有限、さもなければ無限と想定する分割あるいは区分は不充分で欠陥があることになります。

**サルヴィアティ**　わたしにはそう思われます。個々の量について話すと、有限と無限とのあいだに第三の中間段階があり、これはどの数値にも合致すると思います。要するに、連続量に含まれる有限の大きさのある部分は有限か無限かという問題において、もっとも適切な答えは、有限でも無限でもなく、どの数値にも合致すると述べることです。そのためには、それらは限られた数値のなかに含まれるものであってはいけません。そうでないと、それより大きい数値には合致しないことになります。さらに、それらは無限に大きくてもいけません。割り当てられた数値が無限大ということには決してならないからです。このように、質問者の意のままに、与えられた線分を大きさのある一〇〇、一〇〇〇、一〇万の部分に、すでに否定した無限を除く望むままの部分に分割することができるのです。したがって、連続量は望むままの有限の大きさのある部分を含んでいるとした哲学者に同意して、また、好みに応じて随意に、それが現実的に含んでいるとか、潜在的に含んでいると呼ぶことも認めます。しかし、さらに付け加えると、一〇カンナ〔一カンナは約三メートル〕の線分にはそれぞれ一カンナの線分一〇本、一ブラッチョのもの四〇本、半ブラッチョのもの八〇本等が含まれているように、それは無限に多くの点を含んでいます。それを現実的にとか潜在的にとか呼ぶのはお好み次第で、これについてはシンプリチョさんの気まぐれと判断にまかせます。

**シンプリチョ**　あなたの論議には称賛しかありません。しかし、含まれている点と有限の大きさのある部分とを同列に置くのは正確さを欠くのではという大きな疑念があります。あなたにとって与えられた線分を無限に多くの点に分割するのは、あの哲学者が一〇カンナや四〇ブラッチョに分割したほど、簡単なことではないでしょう。それどころか、そのような分割を実行に移すのは、決して実現できない潜在的なもののひとつですから、不可能だと思います。

**サルヴィアティ**　あることが努力や勤勉によってでなければ、あるいは長時間をかけなければ実行可能ではないからといって、不可能というわけではありません。なぜなら、わたしが考えるに、あなたにとっても一本の線分を一〇〇〇の部分に分けるのは簡単にできることではなく、九三七とかもっと大きな素数に分割しなければならないとしたらもっと大変でしょう。しかし、あなたがおそらく分割するのは不可能だと判断していることを、わたしが、他の人が四〇に切断するのと同じくらい手早くしたなら、わたしたちの会話のなかで、あなたは心穏やかにそれを認めて満足してくれるでしょうか。

**シンプリチョ**　あなたが時に物事を愉快に処理することがあるのを楽しんでいます。この質問には、それを点に分解するのは一〇〇〇の部分に分割するくらいしか労力を要さず、とても簡単だと思わせてくれれば大満足だと答えておきます。

**サルヴィアティ**　ここで、おそらくあなたを驚かせることを話すことにします。線分を四〇、六〇、あるいは一〇〇の部分に分割する手順を用いて、つまり、二つに、次に四つにというように、次々と分割していくことで、それを無限に多くの部分に分解したいとか、そうできるかということについてです。この手順で無限に多くの点が得られると信じる人はとんでもなく間違っています。そのようなことを永遠に続けても、まだ大きさのある部分の分割が残ります。それどころか、このような道を通って求めていた目標に到達しようというのは、不可分なものとは遠く離れており、むしろ、遠ざかっているのです。他の人が分割を続け、部分の数を増やしていくことで無限に近づくと考えたとしても、わたしは遠ざかり続けることだと確信しています。理由はこうです。少し前の論議では、無限数について、すべての数と同じだけの平方数や立方数がなければならないと結論しました。平方数や立方数はその根と同じだけあり、あらゆる数が根となるからです。次に、大きい数へと進むほど、そのなかに見つかる平方数は稀になり、立方数はさらに稀になります。ですから、わたしたちが大きい数へと移っていけばいくほど、無限数から遠ざかるのは明らかです。このことからは、後戻りして(こうした進め方が、わたしたちを探し求めていた目標からますます遠ざけていましたから)ある数が無限であると言えるとすれば、それは一です。実際、そのなかには無限数に求められる条件として必須のものがあるのです。わたしが言っているのは、それ自体のなかに立方数と同じだけ、すべての数と同じだけの平方数を含むことについて(の条件)です。

**シンプリチョ**　どうしてそのように理解しなければならないのか、まったくわかりません。

**サルヴィアティ**　このことに何も疑わしいところはありません。なぜなら、一は平方数であって立方数であり、平方数の平方数であり、他のすべての高位の冪乗だからです。平方数、立方数等に本質的な特徴で、一にないものはないのです。たとえば、二つの平方数の属性として、それらのあいだに比例中項があるといったようにです。任意の平方数をとって外項の一方に、一を他方に置くと、いつも比例中項が見つかります。九と四を二つの平方数としましょう。九と一のあいだには比例中項三があり、四と一のあいだには比例中項二があり、平方数九と四のあいだには比例中項六があります。立方数の属性は、それらのあいだに必ず二つの比例中項があることです。八と二七とすると、それらのあいだに比例中項一二と一八があります。一と八のあいだの比例中項は二と四で、一と二七のあいだには三と九です。したがって、一以外の無限数は存在しないと結論しましょう。これは、わたしたちの想像力を超えた驚異のひとつであり、それらのあいだに何の共通する性質もないのに、わたしたちが有限のものに用いるのと同じ属性を使って無限のものを論じようとすると、いかに大きな過ちを犯すかを気づかせてくれるに違いありません。

　この問題について、たったいま思い浮かんだ驚嘆すべき出来事があるのですが、あ

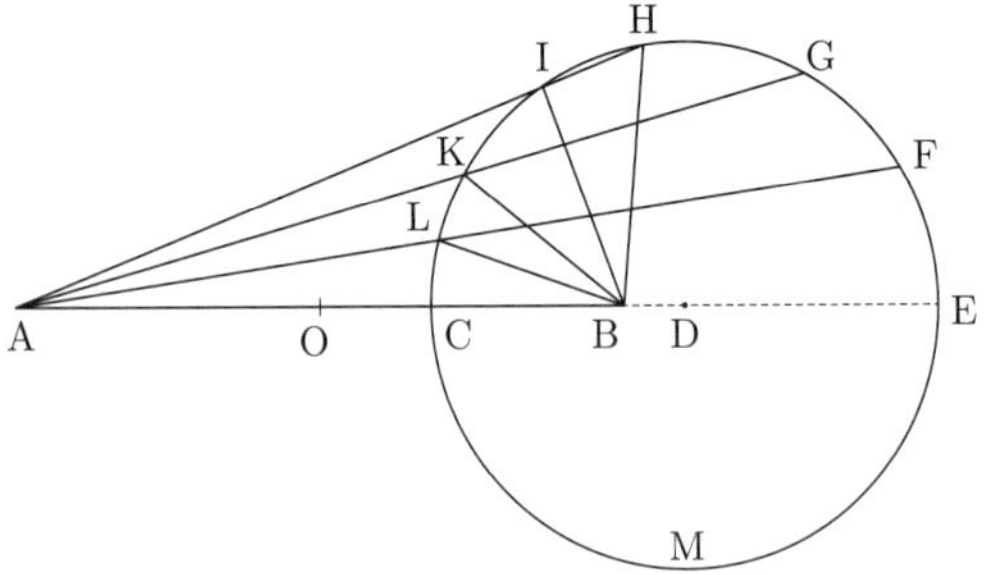


なたに黙っているわけにはいきません。有限の量から無限へと移っていくと出合う無数の違い、それどころか本質的矛盾と対立が説明されます。任意の長さの線分ＡＢを引き、この線上に任意の点Ｃをとって、線分を不等な部分に分割します。両端Ａ、Ｂから、部分ＡＣとＢＣとの比と同じ比をもつ一対の線を引いて一点に集めると、それらの交点はすべて同じ円周上にあるということがわかります。たとえば、点Ａ、Ｂから、部分ＡＣとＢＣとの比と同じ比をもち、点Ｌで交わるＡＬ、ＢＬを引き、Ｋで交わる同じ比をもつＡＫとＢＫを、さらにＡＩとＢＩ、ＡＨとＨＢ、ＡＧとＧＢ、ＡＦとＦＢ、ＡＥとＥＢを引くと、交点Ｌ、Ｋ、Ｉ、Ｈ、Ｇ、Ｆ、Ｅはすべて同じ円周上にあると言いましょう。そのため、点Ｃが動き続け、そこから両端Ａ、Ｂまで引かれた線分が最初の部分ＡＣとＣＢとの比を

保つという規則に従っていると想像すれば、以下に証明されるように、点Cは円周を描くでしょう。こうした方法で描かれた円は、点Cが〔ABの〕中点Oに近づくほど大きくなっていき、端Bに近い点から描かれるほど円は小さくなるでしょう。このようにして、線分OB上にとることができる無限に多くの点から（説明した規則で動かしていって）任意の大きさの円が描かれると、あるものは蚤の眼のひとみよりも小さく、あるものは最高天の赤道よりも大きくなります。さて、両極端OとBとのあいだにあるどの点を持ち上げても、そのすべてによって円が描かれ、Oに近い点によって巨大な円が描かれるのですが、Oそのものを持ち上げ、同じ規則に従って、つまり、そこから両端A、Bまで引かれた線分が最初の線分AOとOBとの比を保つように動かし続けると、どのような線が描かれるでしょうか。円周が描かれるでしょうが、他のどの円よりも大きい円、したがって無限に大きい円が描かれるのです。それどころか、それは点OからBA上に立てられた垂線で、他の円のようにその末端が戻ってきて最初と合流することのない無限に伸びる直線です。点Cの制限された運動は、上半円CHEを描いたあと、続いて下半円EMCを描き、その末端は点Cで合流します。しかし、この点Oは動かされて、線分AB上の他のすべての点同様、円を描くのですが

（なぜなら、他方のＯＡ上の点も円を描き、Ｏにもっとも近い点がもっとも大きな円を描きます）、それはすべての円のうちで最大の、したがって無限大の円です。点Ｏの運動は最初の末端に決して戻ることはなく、要するに、無限大の円周のために無限の直線を描くのです。[5] さて、有限の円と無限の円にどのような違いがあるかを考えてください。無限の円はその存在ばかりか、その存在の可能性すらすっかり失ってしまうほど、その本質を変えるのです。わたしたちは、無限大の円などあり得ないということ、その結果として無限大の球、どんな無限大の物体や面もあり得ないとはっきり理解しているのですから。ところで、このような有限から無限への移行で生じる変容について、何が言えるでしょうか。数における無限大を探し求めて、それは一であるという結論にたどり着いたとき、なぜ激しい嫌悪を感じてしまうのでしょうか。固体を細分してきわめて微小な粉末にし、それ以上分割できない無限に多くの原子に分解したとき、ひとつの連続体に、いわば水や水銀のように、あるいはもとの金属が熔かされたときのように、液体に戻ったと言うことができないのでしょうか。石が熔かされてガラスになり、同じガラスが高熱のもとで水以上に液化するのを見たことがないのでしょうか。

**サグレド**　それでは、無限に多くの不可分な基本構成要素に分解されたために液体になったと信じなければならないのでしょうか。

**サルヴィアティ**　いくつかの感覚で捉えられる現象を解明するには、それ以上によい方策が見つからないのです。それらのなかには次のようなものがあります。石あるいは金属のような硬い物体をハンマーや目の細かいヤスリでできるかぎり分割して、微細な、手で触っても感じないほどの粉末にすると、その最小部分は、小さすぎるために視覚によっても触覚によっても、ひとつひとつを感知できないにもかかわらず、それらには量があり、形があり、数えられるのは明らかです。また、それらを積み上げると、積み重なったままになります。跡が残るほど穴をあけても、窪みは残り、まわりの部分が内部に流れ込んで、穴をふさぐこともありません。揺さぶっても、激しく動かしても、外部の動因がなくなるとすぐに静止します。これと同じことは、どんな形であっても、たとえ球形であっても、もっともっと大きな粒子の集団のすべてに起こります。これは、わたしたちが粟、小麦、鉛の銃弾、その他のあらゆる物質で見ていることです。しかし、わたしたちが水にこのような出来事を見ようとしても、何も見つからないのです。実際、水は持ち上げられても、容器や外側を囲われたものによって抑えられていなければ、すぐに平らになります。穴をあけられても、流れ込んで窪みを満たしてしまいます。揺さぶられても、長時間波立って、遠くまで波を伝えます。このことから、分解すればそうなると思われる水の最小部分は（どんな微細な粉末よりも硬さをもたないどころか、まったく硬さをもっていませんから）、量のある最小の分割可能なものとは異なっていると合理的に推論できると思われます。水が不可分であるということ以外の違いは見つからないでしょう。さらに、その完全な透明性も推測の確かさの助けとなっていると思われます。わたしたちがきわめて透明な水晶を砕いて粉々にしていくと、透明性のない粉末になり、細かくすりつぶされるほど、そうなっていきます。しかし水は、極端にすりつぶされても、まだ最高に澄んでいます。金と銀は、硝酸によってどんなヤスリを使うよりも細かい粉にされても、液体にはならず、火や太陽光線のなかの不可分なものが、わたしが信じるに、それを無限に多くの不可分な究極の基本構成要素に分解するまで液体にはなりません。

**サグレド**　あなたが光について話されたことは、わたしが驚きをもって何度も見てきたことです。直径三パルモの凹面鏡によって鉛が瞬時に熔かされるのを見たことがあります。そのため、鏡が非常に大きく、曇りがなく、放物面になっていれば、どんな金属でもきわめて短時間で液化するだろうという意見にたどり着きました。それほど大きくなく、ピカピカでもない球形の凹面鏡も鉛を強力に熔かし、あらゆる可燃物を燃やすのを見ましたから。この結果、わたしはアルキメデスの鏡の奇跡を信じることができるようになったのです。

**サルヴィアティ**　アルキメデスが鏡を使って行なったことについて、アルキメデス自身の著書を読んで、わたしは多くの作家に解釈されている奇跡をすべて信じるようになりました。わたしは以前にそれを驚愕しながら読み、学んだことがあるのです。たとえ疑わしいところが残ったとしても、最近ボナヴェントゥラ・カヴァリエリ神父が燃焼鏡について公表したことが反論をすべて退けてくれます[6]。わたしはそれを感嘆しながら読みました。

**サグレド**　わたしもこの論考を見ましたが、楽しむとともに大いに驚きながら読みました。わたしは以前からこの人物を知っていたので、彼について考えていたこと、つまり彼は現代の主要数学者のひとりになるだろうという考えを確固たるものにしました。それはそうとして、金属を熔かす太陽光線の驚くべき効果に戻りますと、そのような強烈な作用は運動なしに、それとも非常に速い運動を伴って起こると信じるべきでしょうか。

**サルヴィアティ**　他の燃焼や熔解が運動、それも非常にすばやい運動を伴ってなされるのを見ることにしましょう。雷の作用、鉱山あるいは爆弾のなかの火薬の作用を見ましょう。ふいごの動きを速くするほど、大量の不純な蒸気と混合された木炭の炎は金属の熔解力を増します。だから、光が、たとえもっとも純粋なものだとしても、運動なしに、しかも非常に速い運動なしに作用しうるとは信じることができないのです。

**サグレド**　しかし、この光の速さはどのようなもので、どれほどの大きさだと見積もらねばならないのでしょうか。それは瞬間的でしょうか、一瞬でしょうか、それとも他の運動のように時間を要するのでしょうか。そのいずれであるかを実験によって確かめられないでしょうか。

**シンプリチョ**　日々の経験は、光の伝播は瞬間的であるということを示しています。非常に遠方から大砲を撃つと、炎の輝きは時間を置くことなくわたしたちの眼に届きますが、音はかなりの時間を置いてからでないと耳に届きません。

**サグレド**　何ですって、シンプリチョさん。このよく知られている経験からわかるのは、音がわたしたちの聴覚に届くのは、光が届くよりも短時間ではないということだけです。光の到達が瞬間的か、時間を要するかを確認させてくれず、とても速いということだけです。同様の観察は、誰かが言うように「太陽が地平線に達すると、すぐにその輝きがわたしたちの眼にやって来る」以上の結論を出しません。だから、太陽の光線はわたしたちの眼に到達する以前に地平線には達していなかったと、誰が請け合ってくれるでしょうか。

**サルヴィアティ**　これとか他の同様の観察では結論は出ませんから、かつて何らかの方法で証明、つまり光の伝播が本当に瞬間的かどうかを間違いなく確認できないかと考えたことがあります(7)。音のすばやい運動が、光のそれはもっとすばやいということを確信させてくれていましたし、実験もその確信を強めてくれました。二人の人物にそれぞれ明かりを持たせます。それはランタンまたはその他の覆いのなかに入れられており、手で覆って相手に見えなくしたり、見えるようにしたりできるようになっています。彼らを数ブラッチョ離して向かい合わせ、一方が他方の明かりを見ると、すぐに自分の明かりの覆いを取れるように、その明かりを相手に見えるようにしたり、隠したりする訓練を繰り返し行ないます。何度か互いにやり取りをすると、感じとれるほどのずれもなく一致するようになり、一方が覆いを取ると、他方も即座に覆いを取って応答するようになります。このため、一方が明かりを見えるようにすると、その瞬間に他方の明かりが見えることになります。このような短距離での練習が完了すると、この二人に同じような明かりを持たせて二、三マイル離れて立たせ、夜間に同じ実験を再開し、明かりが見えたり隠れたりすることに対する応答が、近くでやったのと同じようになっているかどうかを注意深く観測します。もしそうなら、光の伝播は瞬間的であると確実に結論できるでしょう。もし三マイルの距離で時間を要するなら、光が行って、向こうから来るのに六マイル必要ですから、その遅れは充分に観測できるに違いありません。このような観測をもっと遠距離で、つまり八とか一〇マイルの距離でしたいのであれば、望遠鏡が利用でき、どちらの観測者にとっても夜間に明かりが利用できる場所に一台ずつ設置しておけばよいでしょう。明かりが大きくなく、そのために遠くからは肉眼で見えなくても、前もってピントを合わせて設置されていた望遠鏡の助けで快適に見ることができるでしょう。

**サグレド**　この実験は、創意に富む信頼できる工夫だと思われます。ところで、それを実行して、どのような結論になったのかを話してください。

**サルヴィアティ**　実際は、短距離のものを除いて、一マイル足らずで実験したのです。そこからですと、向こうの明かりが見えるのが本当に瞬間的なのかどうかを確かめることはできませんでした。しかし、瞬間的でないとしても、光は非常に速く、束の間と言えるでしょう。さしあたり、八マイルも一〇マイルも遠くの雲のあいだに見られる稲妻の輝きに見られる運動になぞらえておきましょう。この光の始まり、いわば先頭とか源は雲のあいだの特定地点に見つかりますが、瞬時に周囲の雲に拡がっていきます。これはわずかながら時間がかかることを証明していると思われます。輝きが同時的で、順を追ってでないとすると、その発生源、いわば中心と、その裾や拡張した端とを区別できないからです。ところで、わたしたちは気づかぬうちに次第に大海原にはまり込んでいっているようです。真空、無限、不可分、瞬間的運動、これらをめぐって千回議論をしたところで岸にたどり着けそうもありませんね。

**サグレド**　これらのことは、実際にはわたしたちの目的そのものというわけではありません。無限は数のうちに探そうとしても、一に行き着いてしまうように思われます。不可分なものから、どこまでも分割可能なものが生まれます。真空は、充満のなかに分かちがたく混ぜられていると思われます。要するに、これらについては、わたしたちのすべてに理解されていたものから性質が変わり、円周も無限の直線に変わるほどなのです。わたしの記憶が正しければ、サルヴィアティさん、これはあなたが幾何学的な証明によって明らかにすべきだとしたあの命題ですよね。ですから、わき道にそれずに、それをやってください。

**サルヴィアティ**　もちろん、そうします。完全に理解するために、以下の問題を証明しましょう。

任意の比で相等しくない部分に分割された線分が与えられたとする。円を描き、与えられた線分の両端から円周上の任意の点に引かれた二線分が、与えられた線分の二つの部分の比と同じ比をもち、したがって、同じ両端から引かれた線分〔の対〕はすべて同様の比をもつようにすること。

与えられた線分をABとし、点Cで任意の相等しくない部分に分割します。両端A、Bから引かれ、部分ACとBCとの比と同じ比をもつ二線分が、要するに同じ両端から引かれたどの線分もその比になっている二線分が、その円周上の任意の点に集まる円を描くことが求められています。Cを中心とし、小さいほうの部分CBを半径として円を描き、その円周に点Aから接線ADを引き、それをEのほうへどこまでも延長し、Dを接点とします。CとDを結ぶと、それはAEに垂直となるでしょう。BAにBEが垂直だとすると、角Aは鋭角ですから、AEと交わります。この交点EからAEに垂線を立て、その延長線をどこまでも伸ばしていくとABとFで交わります。まず、二線分FE、FCは等しいということを示すことにします。なぜなら、ECを引くと、二つの三角形DEC、BECの一方の二辺DE、ECは他方の二辺BE、ECに等しく、二本のDE、EBは円DBに接し、底辺DC、CBも等しいということになるでしょう。だから、二つの角DEC、BECは等しいでしょう。角BCEは直角には角CEBだけ不足しており、角CEFは直角には角CEDだけ不足していますから、これらの不足分は等しく、結果的に辺EとFECは等しいということになり、角FCE、FCも等しくなります。だから、点Fを中心

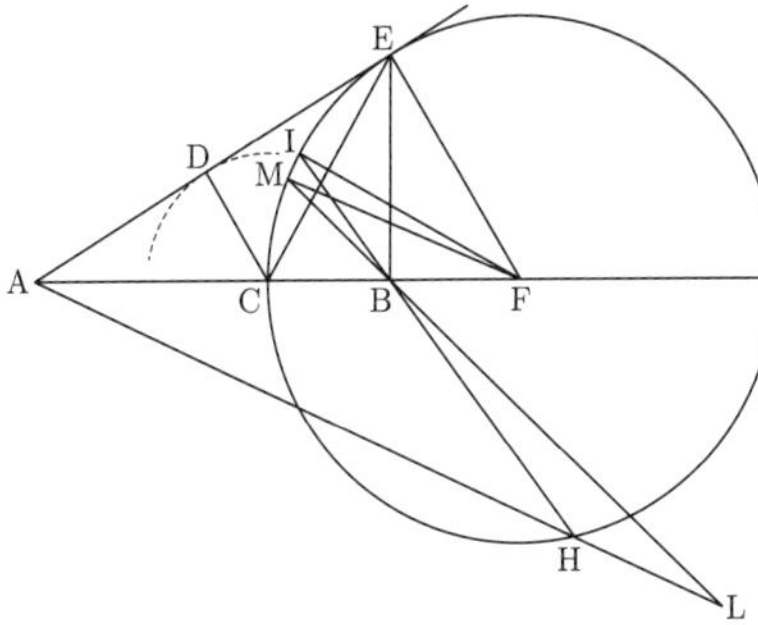

とし、半径をFEとして円を描くと、点Cを通ります。これを円CEGとしましょう。これが求めていた円であると示すことにします。その円周上の任意の点に、両端A、Bから引かれて、すでに点Cで集まっていたように、二つの部分ACとBCとの比と同じ比をもつすべての線分の対が集まります。このことは、点Eで集まっていた二線分、つまり、AE、BEについては、三角形AEBの角EがCEによって二等分され、AC対CBの比はAE対BEの比と同じですから、明らかです。同じことを点Gで終わっている二線分AG、BGについて証明してみましょう。AF対FEは(三角形AFEとEFBが相似のため)EF対FB、つまりAF対FCはCF対FBですから、分割すると、AC対CF(つまりFG)はCB対BFとなり、ABの全体対BGの全体はその一部分CB対BFで、合比の理によりAG対GBはCF対FB、つまりEF対FB、すなわちAE対EBで、さらにAC対CBとなるでしょう。これが証明しなければならないことでした。ここで円周上に他の任意の点をとってHとし、二線分AH、BHがそこに集まります。同様に、AC対CBはAH対HBだと示します。HBを円周のIまで延長し、IとFを結びます。すでに見たようにAB対BGはCB対BFですから、ABとBFからできた長方形はCBとBGからできた長方形、つまりIBと

ＢＨからできた長方形に等しいことになります。しかし、ＡＢ対ＢＨはＩＢ対ＢＦで、Ｂにおける角度は等しく、それゆえ、ＡＨ対ＨＢはＩＦ、つまりＥＦ対ＦＢであり、ＡＥ対ＥＢです。

これに加えて、両端Ａ、Ｂから引かれて、円ＣＥＧの内側、または外側の点に集まる線分はそのような比をもち得ないと言いましょう。可能であるとして、外側の点Ｌに集まる線分をＡＬ、ＢＬとしましょう。ＬＢを円周のＭまで延長し、ＭとＦを結びます。したがって、ＡＬ対ＢＬがＡＣ対ＢＣ、つまりＭＦ対ＦＢであれば、二つの三角形ＡＬＢ、ＭＦＢの二つの角ＡＬＢ、ＭＦＢの両側の辺は比例し、点Ｂを頂点とする角は等しく、残りの二つの角ＦＭＢ、ＬＡＢは直角よりも小さいことになります（なぜなら、点Ｍにおける直角は直径ＣＧの全体を底辺とし、部分ＢＦを底辺とはしないからです。点Ａにおけるもうひとつの角は、線分ＡＬがＡＣに対応するために鋭角で、ＢＣに対応するＢＬよりも大きいからです）。だから、三角形ＡＢＬ、ＭＢＦは相似で、ＡＢ対ＢＬはＭＢ対ＢＦで、そのために、ＡＢとＢＦの長方形はＭＢとＢＬの長方形に等しいことになります。しかし、ＡＢとＢＦからできた長方形はＣＢとＢＧからできた長方形に等しいと証明されていますから、ＭＢとＢＬからできた長方形はＣＢとＢＧからできた長方形に等しいということになりますが、これは不可能です。だから、円の外側の一点に集まることはあり得ません。円の内側に集まることもあり得ないことは、同様のやり方で証明されるでしょう。だから、すべての集合は同じ円周上になります。

さて、ここで話を戻して、線分を無限に多くの点に分解することは不可能ではないだけでなく、大きさのある部分を分割するのと同じくらい困難ではないと示して、シンプリチョさんの望みをかなえることにします。シンプリチョさん、あなたは拒絶しないと思いますが、ある仮定をします。それは、わたしが点をばらばらに分離して、この紙の上でひとつずつはっきり見せるようにと求めたりはしないということです。わたしも、線分を四つとか六つに切り離さなくても、あなたがその分割を印を付けて示してくれるか、せいぜいかどを折って正方形や六角形を作ってくれれば満足するのですから。あなたがそれで分割は明らかに実行されたと言っても、わたしは納得します。

**シンプリチョ**　本当にそうです。

**サルヴィアティ**　ところで、線分を折り曲げて四角形、八角形、四十角形、百角形、あるいは千角形を作ることが、最初はまっすぐな線分のなかに、あなたの言い方では潜在的に存在した四、八、四〇、一〇〇、一〇〇〇の部分を現実のものにするのに充分な変換であるとするなら、わたしがこの線分から無限に多くの辺をもつ多角形を作れば、つまり、折り曲げて円周にすれば、あなたがまっすぐではあるが潜在的に含まれていたと言っていた無限に多くの部分を現実のものとしたと言う資格がわたしにもあるのではないでしょうか。四角形を作るときには四つの部分に、千角形を作るときには一〇〇〇の部分に分解するのと同じように、無限に多くの点に分解されたということを否定できないでしょう。ここでも、一〇〇〇や一〇万の辺をもった多角形に見いだされる条件が満たされているのです。この多角形を直線上に置くと、それらの辺のひとつで、つまり一〇万分の一の部分でそれに接します。無限に多くの辺をもつ円は同じ直線にその辺のひとつで接します。これは一点とはいえ、その両側にあるどの点とも分離され、そのために、多角形の辺が隣接する辺から分離され区別されるように、隣接する点から区別されます。また、平面上でころがされた多角形は、その辺が次々と接触することで、その周に等しい線分を刻むように、円はこのような平面上で回転させられると、連続的に無数に接触することで、その円周に等しい線分を描きます。シンプリチョさん、逍遥学派の諸君が喜んで認めてくれるかどうかはわかりません。

んが、わたしがまったく正しい考えだと認めているところでは、連続量の分割と再分割が決して終わらないように連続量はどこまでも分割可能な部分に分割できますから、そのために分割には終わりがなく、実際にそうですが、つねにまだ分割されていない部分が残ってしまいます。これに対して、最終で究極の分割とは無限に多くの不可分なものに分解することであって、わたしが認めるのは分割を続けて部分の数をいくら増やしていっても決して到達できないものです。しかし、わたしが提案した、無限に多くの部分からなる全体を一挙に区別して分解する方法を利用すれば〔わたしには否定しがたい方策です〕、彼らも心安らかとなり、それが究極的に不可分の原子から構成されていることを認めるに違いないと信じます。とりわけ、他のどれよりも、これが多くのこんがらがった迷路からわたしたちを抜け出させてくれると思われる道なのです。このことで、固体の各部分の凝集についてすでに触れたことに加えて、どのようにして希薄化と濃縮化が起こるかということが理解できるのです。前者〔の希薄化〕の原因として空虚な空間をあえて認め、後者〔の濃縮化〕の原因として物体〔相互〕の透入性を認めるという不都合なことをすることもありません。これらの不都合はいずれも、前述の不可分なものから構成されていると認めれば、うまく避けて通ることができると思われます。

**シンプリチョ**　逍遥学徒がどう言うかは知りませんが、あなたの考察については、彼らにはそのほとんどが目新しいもので、それ自体は検討されるべきでしょう。彼らはこれらの難問題を解きほぐすことができる回答と解決策を見つけようとするでしょうが、わたしには時間がなく、才覚も乏しいので、いまのところは解決できません。

ですから、この派閥のことは脇に置いておき、どうして不可分なものを導入すると、真空と物体の透入性とを同時に回避して、濃縮化と希薄化の理解が容易になるのかを聞かせていただけませんか。

**サグレド**　わたしもぼんやりとしか理解していませんから、それを喜んでお聞きすることにします。ただし、シンプリチョさんが少し前に述べたことに加えて、アリストテレスが真空を論駁した理由、したがって、彼が否定しているものを認めるのが適切だからという理由で、あなたがそれらに与えた解答を必ずお聞かせくだされば ですが。

**サルヴィアティ**　どちらもしましょう。最初のものに関して、希薄化については、大きい円の回転によって動かされた小さい円が描くそれ自体の円周よりも長い線分を

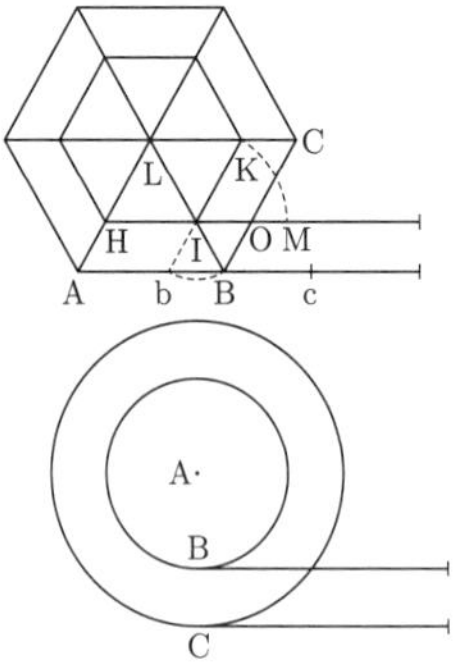


使うのと同じように、濃縮化を理解するためには、小さい円によってなされる旋回によって大きい円がそれ自体の円周よりも短い線分を描くのはどうしてかを証明しなくてはなりません。もっとはっきりと説明するため、前もって多角形では何が起こるかを考察しておきましょう。

以前と同様の図において、共通の中心Ｌのまわりに二つの六角形ＡＢＣ、ＨＩＫがあり、平行線ＨＯＭとＡＢｃの上で回転させられるとしましょう。小さい多角形の角Ｉを固定し、辺ＩＫが平行線〔ＨＭ〕上に落ちるまでこの多角形を傾けましょう。この運動において、点Ｋは弧ＫＭを描き、辺ＫＩは線分ＩＭと結合します。大きい多角形の辺ＣＢがどうなっているかに注目しましょう。この回転は点Ｉの上でなされますから、線分ＩＢの端Ｂは後戻りして、平行線ｃＡの下に弧Ｂｂを描きます。こうして、辺ＫＩが線分ＭＩと結びついたとき、辺ＢＣは線分ｂｃと結合し、部分Ｂｃしか前進せず、線分ＢＡのうち弧Ｂｂが張られている部分だけ後退しています。このようにして小さい多角形によってなされる旋回を続けていくと、それは平行線上を通過して、その周に等しい線分を描きます。しかし、大きい多角形は辺数よりひとつ少ない数の線分bBの長さだけその周より短い線分を通過するでしょう。この線分は小さい多角形の周にほぼ等しく、bBだけ超過します。これで何の矛盾もなく、どうして大きい多角形の辺が(小さい多角形によって運ばれて)小さい多角形によって通過されるよりも長い線分を移動しないのかという理由がわかります。それぞれの辺の一部が先に通過した隣接する辺に重なるからです。

さて、二つの円について考えましょう。それらは中心をAとし、それぞれ平行線上に置かれています。小さい円は点Bでそれに接し、大きい円は点Cで接しています。ここで小さい円が回転を始めると、点Bは片時も静止することがありません。多角形で起こるのと同じように、線分BCは点Cを伴って後方に動きます。多角形では、点Iは辺KIが線分IM上に落ちるまでは点Iに留まり、線分IBは辺CBの端Bを後方にbまで運び、その結果、辺BCはbcに落ち、その部分Bbが線分BAに重なり、IMに等しい部分Bc、つまり小さい多角形の一辺だけ前進します。この重なりは長いほうの辺が小さいほうの辺を超過している長さですが、残りの前進部分は小さい多角形の一辺に等しく、完全に一回転すると小さい多角形が進んだのと等しい線分を作ります。しかし、円で起こることに同様の議論を適用しようとすると、どの多角形もいくつかの辺で構成されているのに、円の辺は無限に多いと言わねばなりません。前者は有限の大きさがあって分割可能で、後者は大きさをもたず、不可分です。多角形の辺の端は回転中にしばらくは、つまり一回転する時間を辺数で割った時間だけ不動ですが、円についていては、無限に多くの辺の端は一瞬しか留まっていません。有限の時間のなかの瞬間は、線分のなかに含まれる無限に多くの点のようなものだからです。大きい多角形の辺によってなされる後退は辺全体の長さではなく、小さい多角形の辺を上回るその超過分だけで、この小さいほうの辺と同じ距離を前進します。円の場合、点あるいは辺Cは、端Bが瞬間的に静止しているあいだに、辺Bを超過する部分だけ後退し、このBと同じだけ前進します。要するに、大きい円の無限に多くの不可分な辺は、小さい円の無限に多くの辺の、無限に多くの端が無限に多くの瞬間に静止しているあいだに、無限に多くの不可分な後退をしますが、小さい円の無限に多くの辺に等しい無限に多くの前進をし、小さい円によって描かれる線分に等しい線分を構成し描くのです。これには大きさをもたない無限に多くの重なりが含まれており、これが有限の大きさのある部分を〔相互に〕透入させることなく硬化と濃縮化を引き起こすのです。このことは、有限の大きさのある部分に分割された線分では理解できません。どんな多角形の周が直線に引き伸ばされても、辺が互いに重なり合い、貫入していなければ、短くなり得ないのです。大きさをもたない無限に多くの部分の硬化には有限の大きさのある部分の透入はなく、以前に説明した無限に多くの不可分なものの膨張は不可分な真空の介入によっているのですから、物体の濃縮化と希薄化について言いうることのほとんどは、物体と有限の大きさの空虚な空間との透入を持ち出す必要はないということだと信じています。もしこれがお気に召すなら、利用してください。そうでなければ、私の話したことも含めてくだらないことだと考えてください。そして、あなたの知性をもっと安んじる別の説明を探してください。二つだけ繰り返しますと、わたしたちは無限と不可分について論じているのです。

**サグレド**　率直に言って、この考察は鋭く、わたしの耳には新しく貴重なものです。実際に自然がこのように振る舞っているのかどうかを解明することはわたしにはできませんが、もっとわたしを納得させてくれるものが聞けるまでは、まったく黙ったままでいないためにも、これに従います。ところで、おそらくシンプリチョさんなら、このように難解な問題について哲学者たちがした説明を（これまでわたしが知らなかったような方法で）解説してくれるでしょう。実際のところ、わたしが濃縮化についてこれまでに読んだものはわたしには濃厚すぎ、希薄化について読んだものは薄すぎて、わたしの視力の弱さでは希薄化されたものを理解することも、濃縮化されたものを見抜くこともできないのです。

**シンプリチョ**　わたしはとても混乱していて、どちらの道を進むにしても硬い障害物にぶつかります。とくに新しい道のほうはそうです。この規則によれば、一オンチャの金は希薄化されて地球よりも大きくなりますが、地球全体は濃縮化されてクルミよりも小さくなるのです。このようなことは信じられませんし、あなたが信じているということも信じられません。あなたの考察と証明は数学的で抽象的であって、感覚できる事物とはかけ離れています。物質的な自然の事物に適用すれば、この規則どおりにはならないだろうと信じます。

**サルヴィアティ**　あなたが見えないものを見えるようにさせようとしても、わたしにはできませんし、あなたがそれを求めているなんて信じられません。しかし、わたしたちの感覚で理解できるかぎりでは、あなたは金のことを話されましたが、わたしたちは金が広大に引き延ばされるのを見ないでしょうか。職人が金を延ばすのに用いる方法のことをあなたが考えているのかどうかはわかりませんが、それは実際には表面だけが金で、内部は銀です。その方法はこうです。長さが半ブラッチョ、太さが親指の三、四倍ほどの円柱、あるいは延べ棒と呼んでもかまいませんが、それに薄くて空中を漂いそうな打ち延ばされた金箔を八枚か一〇枚まで貼ります。金箔をかぶせ終わると、ダイスの穴に通して強力に引っ張ります。この穴を次々と細くしていって繰り返し通していくと、何度も通していくうちに、女性の髪の毛ほど、あるいはそれ以上の細さになります。それでも、表面に金箔が残っています。あなたに考えてほしいのは、この金がどれほど薄く引き延ばされたかです。

**シンプリチョ**　そのようなやり方では、金はあなたが望んでいたような驚くほどの薄さにはならないと思います。まず、最初の箔置きは金箔一〇枚でしたから、かなりの厚さになります。次に、銀を引っ張って細くすると長くなりますが、太さのほうも減少し、表面積はもとの面積と相殺されてそれほど大きくならず、銀を金で覆うには最初の金箔の厚さをそれほど薄くする必要はないでしょう。

**サルヴィアティ**　シンプリチョさん、あなたはとんでもなく間違っています。幾何学的に証明できるように、表面積の増大は長さの伸びの平方根に比例しているのですから。

**サグレド**　わたしのためにも、シンプリチョさんのためにも、わたしたちに理解できると思われるのなら、その証明をしていただけませんか。

**サルヴィアティ**　すぐに思い出せるかどうか考えてみましょう。すでに明らかなのは、最初の銀の太い円柱と非常に長く引き延ばされた線はどちらも同じ〔体積の〕銀の円柱だということです。ですから、同じ円柱の表面積のあいだの比を示せば、目的を達したことになるでしょう。それゆえ、次のように言いましょう。

同じ〔体積の〕円柱の表面積は、両底面を除けば、それらの長さの平方根の比になる。

二つの〔体積の〕等しい円柱の高さをＡＢ、ＣＤとし、線分Ｅをそれらの比例中項とします。円柱ＡＢの底面を除いた表面積は円柱ＣＤの底面を除いた表面積に対して、線分ＡＢが線分Ｅに対する比と同じ比、つまりＡＢ対ＣＤの比の平方根になると言いましょう。円柱ＡＢをＦで切り離し、ＡＦの高さをＣＤに等しくします。等しい円柱の底面積はそれらの高さに反比例しますから、円柱ＣＤの円形の底面積は円柱ＡＢの円形の底面積に対して、高さＢＡがＤＣに対するのと同じ比になります。円の面積は相互に直径の平方に比例しますから、前述の〔二つの〕平方はＢＡ対ＣＤと同じ比になるでしょう。しかし、ＢＡ対ＣＤはＢＡの平方対Ｅの平方ですから、四乗の比になります。だから、それらの側面も比例し、線分ＡＢ対Ｅの比になり、円Ｃの直径対円Ａの直径の比になります。しかし、直径は円周に比例し、円周は同じ高さの円柱の〔側面の〕表面積に比例します。したがって、線分ＡＢ対Ｅは円柱ＣＤの表面積対円柱ＡＦの表面積です。また、高さＡＦ対ＡＢは表面積ＡＦ対表面積ＡＢで、高さＡＢ対線分Ｅは表面積ＣＤ対ＡＦですから、乱比例により、表面積ＣＤ対表面積ＡＢは高さＡＦ対Ｅでしょう。交換すると、円柱ＡＢの表面積対円柱ＣＤの表面積は線分Ｅ対ＡＦ、

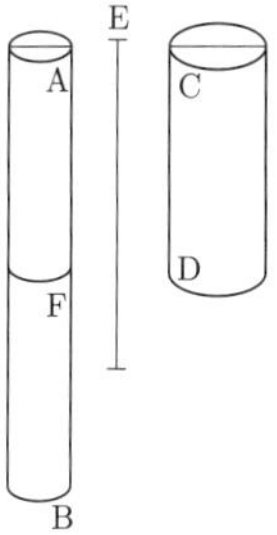


つまりＣＤ、またはＡＢ対Ｅで、これはＡＢ対ＣＤの比の平方根となります。これが証明しなければならないことでした。

さて、証明されたことをわたしたちの目的に適用することにしましょう。箔置きをされた銀の円柱が半ブラッ

チョの長さで、親指の三、四倍の太さだと想像しましょう。これが髪の毛のように細くされて、二万ブラッチョに〔あるいは、もっと〕引き延ばされたとすると、その表面積がもとの面積より二〇〇倍に増えることがわかります。結果として、一〇枚重ねられた金箔は二〇〇倍大きい面に拡げられ、二万ブラッチョの表面を覆う金は打ち延ばされた金箔一枚の二〇分の一の厚さしかないことは確実です。この薄さが各部分のとんでもない膨張なしになされたと想像できるかどうか、無限に多くの不可分なもので物質が構成されていると信じさせる経験だと思えないかどうか、今度はあなたが考えてください。他にももっと有力で決定的な経験に事欠かないでしょうが。

**サグレド**　この証明は、わたしにはとても見事だと思え、提示されていた当初の目的にとって説得力がなかったとしても〔大いに説得力があると思いますが〕、いずれにしても、それを聞くために費やしたこの短い時間はとても快いものでした。

**サルヴィアティ**　あなたは、わたしたちに確かな利益をもたらしてくれる幾何学的証明をとても楽しんでいるようですから、これと対になっているものをお話ししましょう。それはとても興味深い問題に解答を与えてくれます。すでに話したことから、高さあるいは長さの異なる等しい〔体積の〕円柱で何が起こるかということがわかっています。高さは異なるが表面積の等しい円柱で何が起こるかということもはっきり理解しています。これらはすべて、周囲を取り巻く、つまり上下の底面を含まない表面積という意味です。そこで、次のように言いましょう。

底面を除く表面積が等しい円柱〔の体積〕は、それらの高さに反比例する。

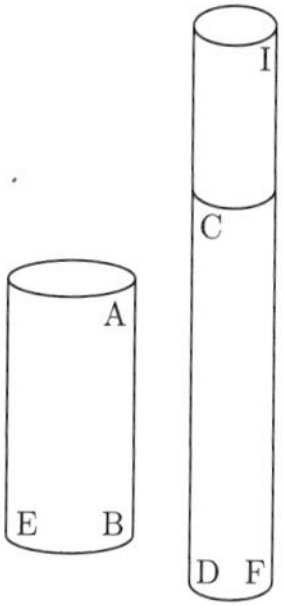


二つの円柱ＡＥ、ＣＦの表面積は等しく、一方の高さＣＤは他方のＡＢよりも大きいとしましょう。円柱ＡＥ対円柱ＣＦは、高さＣＤ対ＡＢであると言いましょう。したがって、表面積ＣＦは表面積ＡＥに等しいのですから、円柱ＣＦはＡＥより小さいでしょう。もし等しいということなら、表面積ＣＦは前述の命題から表面積ＡＥよりも大きく、この円柱ＣＦがＡＥよりも大きければ大きいほど表面積は大きくなるでしょう。円柱ＡＥに等しく円柱ＩＤをとれば、先のことから、円柱ＩＤの表面積対ＡＥの表面積は、高さＩＦ対ＩＦとＡＢの比例中項です。しかし、表面積ＡＥがＣＦに等しく、表面積

ＩＤ対ＣＦが高さＩＦ対ＣＤと同じ比になるとすると、ＣＤはＩＦとＡＢの比例中項となります。さらに、円柱ＩＤは円柱ＡＥに等しいので、どちらも円柱ＣＦに対して同じ比をもちます。しかし、ＩＤ対ＣＦは高さＩＦ対ＣＤですから、円柱ＡＥ対円柱ＣＦは線分ＩＦ対ＣＤ、つまりＣＤ対ＡＢと同じ比になるでしょう。これが目的としたものです。

ここから、多くの人びとが驚きながら体験している出来事の原因がわかります。つまり、穀物袋を作るのに通常は底板を用いますが、一方向に長い布があるとき、布の短いほうを袋の縦方向に使い、他方を底板のまわりに巻くと、逆にするよりも多くのものが入ります。たとえば、一方が六ブラッチョで、他方が一二ブラッチョの布があるとすると、一二ブラッチョの長いほうを底板のまわりに巻くと、袋は六ブラッチョの高さになりますが、六ブラッチョのほうを底板のまわりに巻き、一二ブラッチョを縦方向に使うよりも多くのものが入ります。ここで証明されたことから、一方が他方よりも多く入るという一般的な事実に、どれほどたくさん収容するかという具体的で個別の知識が付け加わることになります。つまり、袋の高さが低くなるとどの程度容積が増え、高くなるとどの程度減るかということです。指定された寸法では、布の長さは幅の二倍ですから、長いほうを縫い付けると、逆の場合の半分の容積になります。同様に、たとえば長さ二五ブラッチョ、幅七ブラッチョのむしろで籠を作るとき、長いほうを折り曲げると、逆の場合に二五だった容積は七にしかならないでしょう。

**サグレド**　わたしたちが新しく興味深い、有用性にも欠けていない知識を獲得し続けているのはとても楽しいことです。しかし、ここで得られた命題については、幾何学の知識のない人びとのうちで、表面積の等しい物体はすべての点で等しいわけではないと、すぐにだまされてしまわないのは一〇〇人に四人もいないだろうと思います。彼らは面積についても同じ間違いを犯し、よくあるようにさまざまな都市の大きさを確定するために、境界の長さが互いに等しくても、それに囲まれた空間が他の空間よりもっと大きいことがあるということに気づかず、それらの境界がわかればすべてがわかると考えるのです。このことは、不規則な面に限らず、規則的な面でも起こります。より多くの辺をもつ面は、少ない辺をもつ〔周が等しい〕面よりもつねに広いのです。したがって、最終的に無限に多くの辺をもつ多角形である円は、周が等しい他のあらゆる多角形以上の最大面積をもつのです。博識な注釈付きのサクロボスコの『天球論』を学んでいたとき、この証明をとくに興味深く見たのを覚えています(8)。

**サルヴィアティ**　そのとおりです。わたしもその箇所を見たことがあり、そのことで、等しい周をもつすべての規則的な図形のうちで円が最大であり、他の図形については、辺の多いほうが少ないほうよりも大きいと結論する唯一で短い証明を見つけました。

**サグレド**　わたしは厳選された珍しい命題や証明に大きな喜びを感じるものですから、ぜひともも分け与えてください。

**サルヴィアティ**　次の定理を証明することで、手早く片付けることにしましょう。

円は、ひとつは外接し、もうひとつは等しい周をもつ任意の二つの相似正多角形の比例中項である。さらに、円は外接する〔多角形の〕すべてより小さいが、反対に、等しい周をもつ〔多角形の〕すべてのなかで最大である。また、同じ外接する〔多角形の〕うちで、より多くの曲がりかどをもつものほど少ない曲がりかどをもつものより小さいが、逆に、等しい周をもつもののうちで、曲がりかどの多いもののほど大きい。

二つの相似多角形AとBのうち、Aが円に外接し、他方のBが円と等しい周をもっています。円はそれらの比例中項だということです。円〔の面積〕は（半径ACを引くと）、

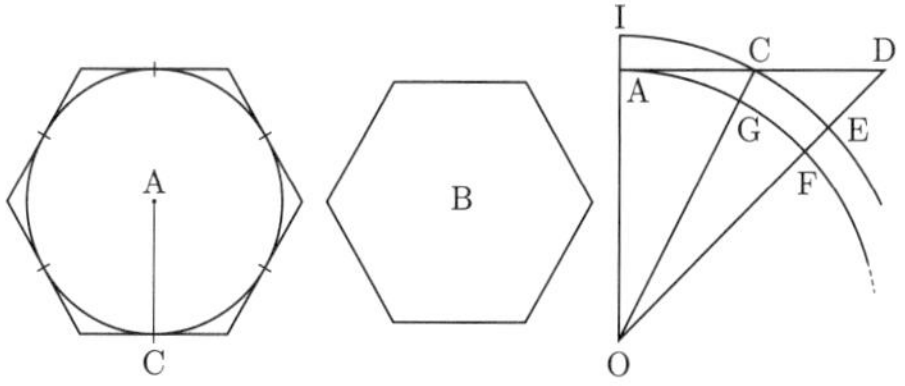


直角を挟む一辺が半径ACに等しく、他辺が円周に等しい直角三角形に等しい。同様に、多角形A〔の面積〕は、直角を挟む一辺がACに等しく、他辺が同じ多角形の周に等しい直角三角形に等しい。外接する多角形は円に対して、その周対円周、つまり、円周と等しいとした多角形Bの周との比をなしていることは明らかです。しかし、多角形A対Bは（相似図形ですから）Aの周対Bの周の二乗の比になります。したがって、円Aは二つの多角形AとBの比例中項です。また、多角形Aは円Aより大きいので、この円Aは円と等しい周をもつ多角形Bよりも大きい、したがって等しい周をもつすべての正多角形のうちで最大であるということが明らかです。

もうひとつの部分、つまり、この円に外接する多角形は辺の少ないものほど辺の多いものより大きいが、反対に等しい周を

もつ多角形は辺の多いものほど辺の少ないものより大きいということについてですが、次のように証明しましょう。中心をO、半径をOAとする円に接線ADを引き、たとえば、この接線上のADを外接する五角形の一辺の半分、ACを七角形の一辺の半分としましょう。線分OGC、OFDを引き、中心をO、半径をOCとして、弧ECIを描きます。三角形DOCは扇形EOCより大きく、扇形COIは三角形COAより大きいので、三角形DOC対三角形COAの比は扇形EOC対扇形COIの比より、つまり、扇形FOG対扇形GOAの比より大きいことになります。合比の理と置き換えにより、三角形DOA対扇形FOAの比は三角形COA対扇形GOAの比より大きく、三角形DOAの一〇倍対扇形FOAの一〇倍の比は三角形COAの一四倍対扇形GOAの一四倍の比より大きいことになり、外接する五角形対円の比は七角形対円の比より大きいことになります。ゆえに、五角形は七角形より大きいのです。次に、この円と等しい周をもつ七角形と五角形を考えることにしましょう。わたしが言っているのは、七角形は五角形より大きいということです。この円は外接する五角形と等しい周をもつ五角形との比例中項で、同様に、外接する七角形と等しい周をもつ七角形との比例中項です。外接する五角形は外接する七角形より大きいということは証明されていますから、この五角形対円の比は外接する七角形対円の比より大きく、つまり、円対等しい周をもつ五角形の比は円対等しい周をもつ七角形の比より大きく、したがって、五角形は等しい周をもつ七角形よりも小さいということになります。これが証明されるべきものでした。

**サグレド**　とても洗練されていて、非常に聡明な証明です。しかし、わたしたちはどこで道を踏み外して、幾何学にのめり込んだのでしょうか。シンプリチョさんが提出した難問を考察しようとしていたのですよ。これは本当に考察に値するもので、とりわけ濃縮化については非常に難しいと思います。

**サルヴィアティ**　濃縮化と希薄化が対立した動きであれば、途方もない希薄化があるところには、とても大きな濃縮化があるのは否定できないことになるでしょう。これが毎日のようにほとんど瞬間的に起こるのですから、ますます驚かざるを得ません。この果てしない希薄化というのは大砲の少量の火薬のことで、それが膨大な火のかたまりに変えられるのですよ。これ以外にも、光のまるで限界のない拡大はどうでしょう。火と光が再び集められると、不可能ではないと思いますが、ほんの少し前には小さい空間を占めていたのですから、どれほどの濃縮になるでしょうか。よく考えれば、このような希薄化は無数に見つかります。これは濃縮化よりも容易に観察されます。密な物質は扱いやすく、わたしたちの感覚に捉えられることが多いからです。わたしたちは木材に触れ、それが火や光になるのを見ていますが、火や光が濃縮化されて木材になるのを見ることはないのです。わたしたちは果実、花、その他多くの固形物の大部分が香りとなって分解されるのを見ていますが、香りの原子が一点に集められて香りのある固体になるのを見ることはないのです。しかし、感覚的な観察ができない場合には、議論をすることで補わなければなりません。それによって、希薄化し分解していく固体の運動だけでなく、希薄でまばらな物質が濃縮化していく運動についても理解することができるでしょう。さらに、わたしたちが論じているのは、真空や物体の透入を採用することなしに可能となる方法によって、どのようにして物体の濃縮化と希薄化が起こるのかということです。このことは、自然界にそのような性質を受け入れない物質がありうるということを排除するものではありません。したがって、あなたが不適切で不可能だと呼んだことには立ち入りません。最後にシンプリチョさん、わたしが、あなたが否定し嫌悪している物体の透入性を認めたり、空虚な空間を導入したりすることなく、どうすれば濃縮化と希薄化が起こるかを理解できるかということにとりわけ尽力してきたのは、あなたや哲学者の諸君の助けがあったからです。あなたがそれらを認めるということでしたら、わたしはこんなに頑固な反対者にならなかったでしょう。ですから、これらの不都合さを認めるか、わたしの考察を受け入れるか、それとも、もっとふさわしいものを見つけてください。

**サグレド**　透入性を否定する点では、わたしは逍遥学派の哲学者たちとまったく同じです。真空の否定については、アリストテレスがそれを攻撃している証明についての考察とともに、サルヴィアティさん、あなたのそれに対する反論をぜひともお聞きしたいです。シンプリチョさんは哲学者の証明を詳しく教えてくれませんか。サルヴィアティさん、あなたはそれに返答してください。

**シンプリチョ**　アリストテレスは、わたしが思い出せるかぎりでは、何人かの古代の人びとが真空なくして運動は起こり得ないと主張して、運動に不可欠なものとして真空を導入したことに抗議したのです。アリストテレスはこれに対抗して、逆に（あとでわかるように）運動が起こることが真空という見解を打ち砕いていると証明したのです。彼は次のように話を進めています。(9) 彼は二つの仮定をします。ひとつは同じ媒質中を動く重さの異なる可動体についてで、もうひとつは異なる媒質中を動く同一の可動体についてです。最初の場合について、重さの異なる可動体はその媒質中を異なる速さで運動し、それらの速さの比は重さの比と同じであると仮定します。したがって、たとえば、他方より一〇倍重い可動体は一〇倍速く動きます。もうひとつの仮定については、異なる媒質中の同一の可動体の速さの比は、それら媒質の濃厚さあるいは密度に反比例すると考えるのです。そうだとすると、たとえば水の濃厚さが空気のそれの一〇倍だとすれば、空気中での速さは水中での速さの一〇倍になると言うのです。この第二の仮定から、彼は次のように証明を導きます。真空の希薄さは、充満したものが、たとえどのように希薄なもので満たされていようとも、それとは無限に隔たっていますから、すべての可動体は充満した媒質中では一定の距離を一定の時間をかけて動きますが、真空中では一瞬のうちに動くことになるでしょう。しかし、一瞬のうちに行なわれる運動というのはあり得ません。したがって、運動があるということから、真空はあり得ないのです。

**サルヴィアティ**　この議論は特定の人たちを攻撃していると思われます。つまり、運動にとって真空が必要だと考えている人たちに対してです。この議論に説得力があることを認め、真空中では運動は起こらないということも認めるとしても、運動とは無関係に絶対的なものとして理解される真空の仮定が打ち砕かれるわけではありません。しかし、アリストテレスの証明がどれほど決定的かをもっと明らかにするために、これらの〔アリストテレスに攻撃された〕古代の人びとが答えたはずのことをお話ししますと、彼の仮定に反論することが可能で、どちらも否定できると思われるのです。最初のものについては、一方が他方よりも一〇倍重い二つの石を同時に高いところから、たとえば一〇〇ブラッチョのところから落として、重いほうが地面に達したとき、他方がまだ一〇ブラッチョしか落下していないほどに速さに差があるのが本当かどうかをアリストテレスは実験したことがないのではと、わたしは大いに疑っています。

**シンプリチョ**　そうは言っても、彼が話していることからわかるように、彼はそれを実験したことがあると説明しています。なぜなら、彼は「より重い物体が……するのをわれわれは見る」と言っているのですから。この「見る」は実験したことがあるのを示しています。

**サグレド**　しかしシンプリチョさん、わたしはそれを試したことがあるのであなたに保証しますが、一〇〇リブラ、二〇〇リブラ、あるいはもっと重い砲弾は二〇〇ブラッチョの高さから落としても、その半分の重さのマスケット銃の弾丸よりも一パルモさえ先に地面に達しないのです[10]。

**サルヴィアティ**　しかし、別に実験しなくても、同一の物質でできた可動体、要するにアリストテレスが述べている可動体に注目すれば、重い可動体のほうが軽いほうより速く運動するということが正しくないということを、簡単で決定的な証明によってはっきり示すことができます。だから、シンプリチョさんに答えてほしいのですが、それぞれの重い落下物体には自然によって定められた速さがあり、それに強制的な力を行使するか、何らかの障害物によってそれを妨害するのでなければ、それを速くしたり遅くしたりできないということを認めますか。

**シンプリチョ**　同一の媒質中の同一の可動体には一定の自然によって定められた速さがあり、それは新たなインペトゥス[11]を与えられなければ加速されず、それを遅くする何らかの妨害がなければ減速されないということは疑い得ません。

**サルヴィアティ**　それでは、二つの可動体があって、それらの自然な速さが異なるとき、遅いほうと速いほうを結び合わせると、速いほうは遅いほうによってある程度遅くされ、遅いほうは他方の速いほうによってある程度速くされることは明らかです。この意見については、あなたはわたしに同意するでしょうね。

**シンプリチョ**　間違いなくそうなると思います。

**サルヴィアティ**　しかし、このことが本当であり、大きい石が、たとえば八の速さの度合いで動き、小さい石が四の度合いで動くとするならば、それらを互いに結び合わせると、それらが一体になったものは八の度合いよりも小さい速さで動くでしょう。しかし、互いに結び合わされた二つの石は最初の八の速さの度合いで動いていた石よりも大きい石になっています。それゆえに、この大きい石は小さい石よりも遅く動くということになります。これはあなたの仮定に反しています。したがって、重い可動体が軽いものより速く動くという仮定から、わたしがどのようにしてより重いほうが遅く動くという結論を出したか、おわかりでしょう。

**シンプリチョ**　わたしは混乱してしまいました。大きい石に付け加えられた小さい石は重さを付け加えると思いますが、どうして重さを付け加えることによって速さを付け加えないのか、あるいは少なくとも速さを減らさないでいられるのかということが、わからないのです。

**サルヴィアティ**　ここでも別の間違いを犯していますよ、シンプリチョさん。小さい石が大きい石に重さを加えるというのは正しくないからです。

シンプリチョ　おやおや、これはもうわたしの理解の及ぶところではありません。

サルヴィアティ　わたしがあなたを動揺させている勘違いに気づかせれば、少しも理解を超えていないですよ。ただし、動いている重い物体と静止している同一の物体とを区別しなければならないことに注意してください。天秤に置いた大きい石は、それに別の石を重ねるとより重くなりますが、亜麻の糸くずを加えても、糸くずの重さである六とか一〇オンチャだけ重くなります。しかし、この糸くずを縛り付けた石を高いところから自由に落下させると、糸くずが運動中に石に重みを加えて運動を速めるはずだと思いますか、それとも、ある程度は石を支えて運動を遅くすると思いますか。背負っている重荷の運動に逆らおうとすると、わたしたちは肩に重圧を感じます。しかし、その重い物体が自然に落下するのと同じ速さで降りていくなら、わたしたちはどのように圧迫され、重圧を感じると思いますか。これは、あなたが追いかけるのと同じ速さで、あるいはそれ以上の速さで前方を走っている人を槍で突き刺そうとするようなものだと考えませんか。だから、自由で自然な落下においては、小さい石は大きい石に重みを加えず、その結果、静止しているときと同じように速さを増すことはないという結論になります。

**シンプリチョ**　しかし、大きい石を小さい石の上に置けばどうですか。

**サルヴィアティ**　重い石のほうが速ければ、小さい石の重さは増すでしょう。しかし、小さい石のほうが遅いのであれば、大きい石の速さをある程度は遅くし、二つの石を結び合わせたものは、以前より大きいのに、より遅く動くだろうという結論にすでに達しています。これはあなたの仮定に反しています。したがって、大きい可動体も小さい可動体も、比重が同じならば、等しい速さで動くと結論しましょう。

**シンプリチョ**　あなたの議論の進め方はとても見事です。それでも、鉛の散弾が砲弾と同じ速さで動くというのは信じがたいように思えます。

**サルヴィアティ**　あなたは砂粒が石臼のように〔速い〕と言うべきでしょう。シンプリチョさん、他の多くの人がしているのと同じようにしてほしいとは思いませんが、主たる目的から話をそらして、わたしの言っていることが真実に髪の毛ほど欠けていると攻撃し、その髪の毛の下に船の大綱ほど大きな別の間違いを隠そうとしないでください。アリストテレスは「一〇〇リブラの鉄球を一〇〇ブラッチョの高さから落下させると、一リブラの鉄球がたった一ブラッチョ落下するよりも先に地面に達する」と言っています。わたしに言わせれば、それらは同時に地面に達します。あなたは、大きいほうが小さいほうよりも二ディート先んじている、つまり、大きいほうが地面に衝突したとき、他方は二ディート離れているのがわかります。そこで、あなたはこの二ディートの背後にアリストテレスの九九ブラッチョを隠し、他のとても大きな誤りには沈黙したままで、わたしの小さな誤りについてだけ話そうとしているのです。アリストテレスは、重さの異なる可動体は同一の媒質中で（重さに依存するかぎりでは）それらの重さに比例する速さで動くと断言しています。彼は可動体を説明するにあたって、重さに純粋で絶対的な効果があるとみなし、形やほとんど動因とならないものを考慮していないのです。これらは媒質から大きな影響を被るものであって、重さだけに由来する単純な効果をかき乱します。あらゆる物質のうちでもっとも重い金は、それを薄片にすれば空中をただようのが見られます。同じことは、非常に細かい粉末状にされた岩でも起こります。しかし、あなたが自分の一般命題を擁護したいのであれば、あらゆる重い物体の速さの比を観測し、二〇リブラの岩は二リブラの岩よりも一〇倍速く動くということを証明しなければなりません。わたしは、これは間違っており、それらを五〇とか一〇〇ブラッチョの高さから落とすと同時に地面に達すると言っているのです。

**シンプリチョ**　そのような低いところから落としても見られないことでも、一〇〇〇ブラッチョの高所からなら起こるのではないでしょうか。

**サルヴィアティ**　それがアリストテレスの理解していたことなら、あなたは彼に虚言にも等しいもうひとつの誤りを押しつけていることになります。なぜなら、地上にはそのような高さのところはありませんから、アリストテレスがそれを体験することはありえなかったのは明らかです。とは言うものの、彼がそのような「結果を見る」と言っているのですから、あなたは彼がそれをしたとわたしたちを納得させたいのですね。

**シンプリチョ**　アリストテレスは実際には〔真空を否定するために〕この原理を用いず、別の原理を用いています。わたしが信じるに、それはこんな困難に苦しむことはないのです。

**サルヴィアティ**　もうひとつのほうもこれに劣らず誤っています。わたしは驚いていますが、あなた自身が偽りを見抜けず、精妙さと希薄さの異なる、要するに、たとえば水と空気のように屈服の度合いが異なる媒質中で、同一の可動体が空気の希薄さと水の希薄さとの比で水中よりも空気中で速く動き、その結果、空気中を落下する可動体はすべて水中でも落下するということに真実性があるのかを理解していないことです。これはとんでもない間違いで、空気中で落下する非常に多くの物体は水中で落下しないどころか、浮かび上がります。

**シンプリチョ**　わたしにはあなたの結論に必然性があるとは思えません。付け加えておきたいのは、アリストテレスが話しているのはどちらの媒質中も落下する重い可動体についてで、空気中で落下し、水中で浮かび上がる物体についてではないということです。

**サルヴィアティ**　あなたが哲学者を擁護しようとして持ち出しているのは、彼なら最初の誤謬を拡大しないために決して提出しなかったものです。しかし、水の濃密度、つまり運動を遅くするものが、それほど遅くしない空気の濃密度に対して何らかの比をもっているかどうかを話してください。もしあるなら、随意にその比を決めてください。

**シンプリチョ**　それは存在します。それを一〇倍の比としましょう。そうすると、どちらの成分中でも落下する重い物体の速さは、水中では空気中の一〇倍遅いでしょう。

**サルヴィアティ**　それでは、空気中では落下するが、水中では落下しない重い物体のひとつを、たとえば木球として、それが空気中で落下する速さをお好きなように決めてください。

**シンプリチョ**　二〇の速さの度合いで動くとしましょう。

**サルヴィアティ**　よろしい。その速さは他の遅いほうの速さに対して、水の濃密度と空気の濃密度との比と同じ比をもち、遅いほうは二の速さの度合いしかないことが明らかです。ですから、アリストテレスの仮定に正確に従うと、水より一〇倍屈服しやすい空気中で二〇の速さの度合いで落下する木球は水中では二の速さの度合いで落下し、底から浮かび上がることはないと結論しなければなりませんが、実際は浮かび上がります。まさかあなたは言わないでしょうが、木にとって水中を上昇するのと二の速さの度合いで降下するのは同じことだとは信じられません。しかし、木球が降下しない以上、あなたは水中を二の速さの度合いで落下する木以外の物質でできた球があることを認めると確信します。

**シンプリチョ**　もちろんあるでしょうが、木よりはるかに重い物質でできています。

**サルヴィアティ**　これこそ、わたしが探していたものです。しかし、この第二の球が水中を二の速さの度合いで落下すると、空気中ではどれほどの速さで落下するでしょうか。それは(アリストテレスの規則に従うなら)二〇の度合いで動くと答えなければなりません。しかし、二〇の速さの度合いは、あなた自身が木球に割り当てていたものです。したがって、この球も他のもっと重い球も空気中を同じ速さで動くことになります。それでは、哲学者はこの結論と彼のもうひとつの結論、つまり、重さの異なる可動体は同一の媒質中をそれらの重さに応じて異なる速さで動くという結論とどう折り合いをつけるのでしょうか。しかし、深く考えなくても、あなたはしばしば起こる、明白な出来事を見なかったはずはありませんし、水中では一方が他方より一〇〇倍速く動くのに、空気中では一〇〇分の一も速さが上回らない二つの物体を見たことがないのでしょうか。たとえば、卵型の大理石は水中を鶏の卵より一〇〇倍速く落下しますが、空気中で二〇ブラッチョの高さからでは四ディートも先行しません。要するに、水中を三時間かけて一〇ブラッチョ降下する重い物体は空気中を脈拍一、二回のあいだに一〇ブラッチョを通過するでしょう。あるものは(鉛の球のように)その二倍足らずの時間で楽々と通過するでしょう。そこでシンプリチョさん、あなたは意見の相違はなく、反論の余地もないと理解していると思います。ですから、この〔アリストテレスの〕議論は真空の存在を否定していないと結論しましょう。もし否定していたとしても、かなりの大きさの〔空虚な〕空間だけを打ち砕いており、古代の人びとが自然的に存在するとは想像しなかったもので、強制的であれば生じるかもしれないとしても、わたしも信じていません。さまざまな実験によって実現するとは思いますが、ここで取り上げるには長くなりすぎます。

**サグレド**　シンプリチョさんが黙っているのを見ますと、わたしに発言の機会があるようです。あなたは、同一の媒質中では重さの異なる可動体はそれらの重さに比例した速さで動くというのは決して真実ではなく、同じ速さで動くと明確に証明しました。あなたが考えているのは同じ物質でできた、または同じ比重の物質でできた重い物体についてで、〔わたしの理解では〕比重の異なるものについてではありません〔あなたが、コルクの球と鉛の球が同じ速さで動くことをわたしたちに納得させようとしたとは思えないからです〕。さらに、同じ可動体は抵抗の異なる媒質中で、それらの抵抗の比と同じ比で速さまたは遅さを維持するというのも正しくないということを非常に明確に証明しました。それでは、どちらについてもどのような比に従っているのかをぜひ聞かせてください。

**サルヴィアティ**　すばらしい質問です。わたしはそれについて何度も考えてみました。わたしの議論と最終的に導き出したものをお話ししましょう。抵抗の異なる媒質中での同一の可動体の速さはそれら媒質が屈服する度合いに比例するというのは正しくなく、同一の媒質中で重さの異なる可動体の速さは（比重も異なると解釈して）それらの重さに比例するというのも正しくないと証明したあとで、わたしはこれらの現象を結びつけて、重さの異なる可動体を抵抗の異なる媒質中に置くと何が起こるかに注目し始めました。わかったのは、抵抗の大きい、屈服しにくい媒質中ほどそれらの速さの差がつねに大きくなるということです。つまり、空気中を落下する二つの可動体にはほとんど速さの差がなかったのに、水中では一方が他方より一〇倍も速く動くほどの差になったのです。それどころか、空気中ですばやく落下するものが水中では降下しないだけでなく、まったく動かなかったり、浮かんできたりするのです。というのも、木の種類によっては、そのこぶや根のように、水中では静止し、空気中ではすばやく落下するものが見られることがあります。

**サグレド**　わたしは何度もとても慎重にロウの球に砂粒を加えて、それ自体では沈まないように〔同じ体積の〕水と同じ重さにし、この媒質中で停止するようにしようとしたことがあります。しかし、苦労したにもかかわらず、目的を遂げられなかったのです。ですから、それ自体が水の重さと同じで、そのなかのどこででも静止するような他の固体が見つかるかどうかわからないのです。

**サルヴィアティ**　他の多くの作業同様に、この場合も多くの勤勉な動物に人間はかないません。魚があなたの問題についての好例となるでしょう。彼らはこの課題にはとても巧みで、思うがままに水と自らを釣り合わせることができるだけでなく、大きく異なる水とも釣り合わせることができるのです。水は、それ本来の性質によって、あるいは突然濁ったことによって、または塩分によって大きく異なります。つまり、非常に正確に自らを釣り合わせ、どこででもじっとして動かないでいられるのです。わたしが信じるに、彼らはこの目的のために自然によって与えられた装置、つまり体内にある小さな浮き袋を利用しているのです。これはとても細い管で口と繋がり、この管を通して浮き袋に入っていた空気の一部を意のままに外に出したり、水面に浮かんで泳ぎながらさらに空気を取り込んだりします。このようにして、水よりも重くなったり軽くなったりして、思いどおりに水との釣り合いをとるのです。

**サグレド**　わたしはそれとは別の仕掛けで何人かの友人をだまし、水とぴったり釣り合うロウの球を作ったと彼らに自慢したことがありました。容器の底のほうに塩水を入れ、その上に真水を入れたのですが、球が水中で止まっていて、底のほうに押しても上のほうに押しても、どこにも留まらず、中央に戻るのを彼らに見せたのです。

**サルヴィアティ**　その実験に有用性がないわけではありません。なぜなら、とりわけ医者は水のさまざまな性質、主に軽さや重さを調べることがあります。彼らはそれと似た球を、言ってみるならば、一定の水のなかで沈むことも浮くこともないように調節して用いるのです。もしこの球がある水のなかで沈み、他の水のなかで浮くのであれば、わずかであっても二つの水には重さの違いがあり、他の水のほうが重いことになります。この実験はとても精確で、六リブラの水に二粒の塩を加えただけで、それまで沈んでいた球が底から水面に浮かび上がるほどです。さらに、この実験の精確さを確認し、さらに水は分割されることに対しては抵抗しないということを明確に証明するために付け加えておきたいのは、水よりも重い物質を混ぜて重さを著しく大きくするだけでなく、少し温めたり冷やしたりしても同じ現象が起こるということです。この作用はとても敏感で、六リブラの水にそれよりも少し熱いあるいは冷たい水を四滴注いだだけで、球は沈んだり上昇したりするのです。これで、分割と浸透に抵抗する諸部分間の粘性や結合力を水に与えようと考えている、あの哲学者たちがどれほど間違っているかわかるでしょう。

**サグレド**　わたしたちのアカデミア会員の論考に、この問題に関するとても説得力のある議論があります。それでも、わたしにはまだ取り除くことができない疑念があります。もし水の諸部分間に粘着力や凝集力がないとすると、どうして大きな水滴が、とくにキャベツの葉の上で流れることも平らになることもなく高く盛り上がったままでいられるのでしょうか。

**サルヴィアティ**　自分で正しい結論を出した者は、それに対するすべての反論に答えることができるというのは本当ですが、わたしにはそれができる力があるとあえて主張しません。わたしにその能力がないからといって、真実の明白さを損なうわけではありません。最初に告白しておきますと、どうすればこれらの水の球を高く盛り上がって大きいままにしておけるのかは知らないのです。それらの諸部分間にある内的な粘着力に由来していない、ですから、この現象の原因は外部にあるということは確かだとは知っています。それが内部にないということは、すでに示した実験以外にも、別の非常に説得的な実験で確かめることができます。もし水の諸部分が指摘されたように空気に取り囲まれているとき、それを持ち上げているのが内的な原因だとすれば、空気中よりも落下しにくい媒質によって取り囲まれると、もっと高く持ち上げられるでしょう。このような媒質は空気より重い液体で、たとえばワインでしょう。だから、水滴のまわりにワインを注ぐと、水の諸部分は内的な粘性によって結合したままで分解することなく、次第に盛り上がっていくでしょう。しかし、このようなことは起こりません。それどころか、そのまわりにこぼされた酒が近づくとすぐに、酒のかさが増すのを待つことなく、水はばらばらになって平らになり、酒の下のほうに溜まります。赤ワインなら〔はっきり見えます〕。したがって、その現象の原因は外的なもので、おそらく周囲の空気にあるのです。実際、わたしが別の実験で観察したように、空気と水には大きな不一致があるのが観察されます。その実験で、わたしは麦わら一本ほどの狭い穴のあいたガラス球を水で満たし、水でいっぱいになったところで口を下に向けたのですが、水は非常に重く、空気中を落下する傾向があり、空気は非常に軽く、水中を上昇する同様の傾向があるにもかかわらず、水は穴を通って落下しようとせず、空気はそこから入って上昇しようとしないのです。そして、どちらも頑なにそのままでいるのです。ところが、この穴に水よりもほんの少し軽い赤ワインの入った容器をあてがうと、それはすぐに水のなかを赤い筋となってゆっくりと上昇していき、水のほうはまったく混ざることなく、同じようにゆっくりとワインのなかを降りていき、ついには球がワインで満たされ、水はすべて下の容器に落ちてしまうのが見られます。さて、ここでどう言うべきでしょうか。水と空気は対立しているという結論しか下せないのではないでしょうか。わたしにはよくわかりませんが、多分……

**シンプリチョ**　わたしはサルヴィアティさんが嫌悪という言葉をとても嫌悪しているのを笑わずにはいられません。その言葉を口に出そうとさえしないのですから。それでも、この難問を解決するにはとても適切ですよ。

**サルヴィアティ**　それでは、シンプリチョさんのためにそれをわたしたちの疑念の解決策とすることにしましょう。本題から離れることになりますが、わたしたちの命題に戻ることにしましょう。重さの異なる可動体の速さの差は抵抗の大きい媒質中ほど大きくなることがわかりましたが、他に何があるでしょう。水銀中では金は鉛よりも速く底に達するだけでなく、それだけが沈みます。他の金属や石はすべて上に向かって動いて浮かび上がります。空気中では、金、鉛、銅、斑岩、その他の重い金属でできた球のあいだに運動の違いはほとんど感じられません。なぜなら、金の球は一〇

○ブラッチョ落下しても銅の球に四ディートも先行しないのは確かですから。このことがわかったので、わたしは、もし媒質の抵抗が完全になくなれば、すべての物質は同じ速さで落下するという考えに達したと言っているのです。

**シンプリチョ**　重大な発言ですね、サルヴィアティさん。もし真空中で運動が起こるとしても、そのなかで羊毛の塊が鉛のかけらと同じ速さで動くとはとても信じられません。

**サルヴィアティ**　もう少しお静かに、シンプリチョさん。あなたの難問はさほど深刻なものではなく、わたしもそれほど軽率ではありませんから、わたしがそれについて考えたこともなく、したがって解決策を見つけていないと考えてもらっては困ります。ですから、わたしの考えをはっきり示し、あなたに理解してもらうために、わたしの話を聞いてください。わたしたちが探求しようとしているのは、媒質に抵抗がなく、そのために可動体のあいだの速さの違いを重さの違いだけに帰さねばならないとき、その媒質中で重さの異なる可動体に何が起こるかということです。空気や他の希薄で屈服しやすい物体もない空間だけが、わたしたちの探求していることを感覚的に示してくれるのにふさわしいのですが、そのような空間はありませんから、もっとも希薄でもっとも抵抗の少ない媒質中で何が起こるかを観察して、それを他の希薄でなく抵抗も大きい媒質中で起こることと比較することにしましょう。要するに、実際に重さの異なる可動体の速さの違いがより屈服しやすい媒質中ほど小さくなり、最終的に、まったく真空ではないにしても、もっとも希薄な媒質中では極端に重さの異なる可動体であってもその速さの違いはごくわずかで、ほとんど見分けられないほどであるということがわかれば、真空中でのそれらの速さはまったく等しいという推測をほぼ間違いのないものとして信じてよいと思われるのです。ですから、空気中で何が起こるかを考えることにしましょう。ここでは、表面がはっきりと区切られていてとても軽い物質でできたものとして、ふくらんだ膀胱を採用したいと思います。膀胱内で空気はほとんど圧縮されないでしょうから、その内部の空気は大気中では重さがないか、ほとんどないでしょう。そのために、その重さは薄膜のわずかな重さだけで、ふくらんだ膀胱と同じ大きさの鉛の重さの一〇〇〇分の一もないでしょう。シンプリチョさん、これが四とか六ブラッチョの高さから放たれると、落下中に鉛は膀胱にどれほどの距離を先行すると思いますか。以前にあなたは一〇〇〇倍速いとしましたが、三倍、いや二倍でさえないと予想したほうが確かなのではありませんか。

**シンプリチョ**　運動の初めのほう、つまり最初の四から六ブラッチョでは、あなたの言っていることが起こるかもしれません。しかし、動き続けて長い時間が経過すると、鉛はその距離の一二分の六どころか、八とか一一も引き離すと思います。

**サルヴィアティ**　わたしもそう思いますし、非常に大きな距離では、膀胱が一ミリオ〔マイル〕の距離も通過しないうちに、鉛が一〇〇ミリオの距離を通過することを疑いません。しかしシンプリチョさん、あなたがわたしの命題に反対する現象として提案したことは、わたしの命題のとても確かな裏付けなのです。わたしが意図したのは（繰り返しますが）、重さの異なる可動体の速さの違いは決して重さの違いに原因があるのではなく、外部の出来事、とくに媒質の抵抗によるのです。ですから、それがなくなれば、すべての可動体は等しい速さの度合いで動くだろうということです。わたしはこのことを、主にあなた自身が認めたばかりの、まったく正しいことから導き出しているのです。つまり、重さの大きく異なる可動体の速さの差は、それらの通過する距離が大きくなるにつれて大きくなるということからです。この現象は、重さの違いによるのであれば起こりそうもないことです。重さの違いは同じままですから、通過された距離の比も同じままであるはずですが、わたしたちは、運動が進行していくとこの比が絶えず大きくなっていくことを見ているのです。とても重い可動体は一ブラッチョ落下するあいだにとても軽い可動体にその距離の一〇分の一も先行しませんが、一二ブラッチョ落下するあいだに三分の一は先行するでしょうし、一〇〇ブラッチョなら一〇〇分の九〇は先行するでしょう。

**シンプリチョ**　まったくそのとおりです。しかし、あなたの議論に従うと、重さは変化せず、媒質も同じままであると仮定されていますから、重さの異なる可動体の重さの違いがそれらの速さの比の変化の原因とならないのなら、速さの比には何の変化も起こり得ないということになるでしょう。

**サルヴィアティ**　あなたはわたしの言っていることに対して鋭い反論をしています。それを解決しておく必要があります。わたしに言わせれば、重い物体はその本性によって重いものに共通する中心、つまり地球の中心に向かって動く内在的原理をもっています。この運動は加速され続け、この加速はつねに一様です。つまり、等しい時間のうちに、等しいモメントゥム(12)と速さの度合いとが新たに付け加わります。このことは、すべての付随的で外的な妨害が取り除かれたときにはいつでも実現すると理解されねばなりません。これらのなかには、わたしたちでは取り除くことができないものがあります。落下する可動体によって切り開かれ、脇にやられねばならない充満した媒質の妨害です。媒質は屈服しやすく穏やかな流体であるとはいえ、それを横切る運動には抵抗し、その抵抗は、可動体にゆっくりと道を譲ってもよいか、それともすばやく譲らねばならないかによって、小さくなったり大きくなったりするのです。すでに話したように、その本性によって加速され続けるのですから、結果的に媒質中で遭遇する抵抗も大きくなり続けます。だから、新たな速さの度合いの獲得が遅くなって減っていき、ついには速さが限界に達し、媒質の抵抗もある大きさに達します。このとき、それらは釣り合い、それ以上加速されることはなくなり、可動体の運動は均等で一様になり、その後はこの状態を保ち続けるのです。したがって、媒質の抵抗の増大はその本質が変化するためではなく、落下物体が加速され続けるので、その落下に道を譲って脇に退く速さが変化するためです。さて、空気の抵抗は膀胱の小さいモメントゥムにとっては非常に大きく、大きい重さの鉛にとっては非常に小さいと考えられますから、それを完全に取り除くと、膀胱には大きな便宜を図ることになりますが、鉛にはほとんどなく、それらの速さが均等になるのは確かだと考えます。したがって、真空中あるいは運動の速さに反対するいかなる抵抗もない媒質中ではすべての可動体の速さは等しくなるということを原理と仮定すれば、同一の媒質中であっても、充満の度合いが異なる、それゆえ抵抗が異なる媒質中であっても、同一の可動体であれ異なる可動体であれ、その速さの比を適切に決めることができるでしょう。そして、どれほど媒質の重さが可動体の重さを減らすかということに注意すれば、このことを達成できるでしょう。重さは、可動体が媒質の諸部分を脇へはねつけながら進むための道具なのです。真空中ではこの作業は必要ではなく、重さの違いからいかなる違いも期待されるべきではないのです。媒質がそのなかにある物体の重さを、それと同量の媒質の重さだけ減らし、抵抗のない媒質中では(仮定されているように)等しいとされている可動体の速さをその比率で減らすのは明らかですから、目的としたことが得られるでしょう。たとえば、鉛が空気より一万倍重く、黒檀が一〇〇〇倍だけ重いと仮定すると、これら二つの物質の速さは、絶対的なものとして考えると、つまりすべての抵抗が取り除かれると等しいはずですが、空気が鉛からその一万の度合いのうちの一を差し引き、黒檀からは一〇〇〇の度合いのうちの一を、つまり一万の度合いのうちの一〇を差し引きます。したがって、鉛と黒檀を空気中でどんな高いところから落としても、空気による減速がなければ同時にその高さを通過するはずですが、空気が、鉛の速さを一万の度合いとすると、そのうちの一を、黒檀からは一万の度合いのうちの一〇を差し引くのです。言いうるかぎりでは、これらの可動体が出発した高さを一万の部分に分割すると、鉛が地面に達したとき、それはこの一万の部分の一〇、もっと適切には九だけ黒檀を引き離しています。これは、鉛の球を二〇〇ブラッチョの高さの塔から落とすと、黒檀に四ディートも先行しないということに他ならないのではありませんか。黒檀は空気より一〇〇〇倍重いのですが、ふくらんだ膀胱は四倍の重さしかなく、したがって、空気は黒檀の内在的で本来の速さから一〇〇〇の度合いのうちの一を差し引きますが、絶対的なものとしては同じはずの膀胱の速さからは四分の一を取り去ります。この、黒檀の球が塔から落下して着地したとき、膀胱は四分の三しか通過していないでしょう。鉛は水よりも一二倍重いのですが、象牙は二倍重いだけです。したがって、絶対的なものとしては等しいそれらの速さから、水は鉛については一二分の一を、象牙からは半分を取り去ります。だから、水中で鉛が一一ブラッチョ沈んだとき、象牙は六ブラッチョ沈んでいるでしょう。このように規則に従って論じていけば、実験はアリストテレスのほうよりもこの計算のほうとぴったり一致することがわかると思います。同様にして、異なる流体状の媒質中での同一の可動体の速さの比は、媒質の異なる抵抗を比較することによってではなく、媒質の重さを上回る可動体の重さの超過分を考察することによって見つけることができるでしょう。たとえば錫は空気よりも一〇〇〇倍重く、水よりも一〇倍重いのですが、錫の絶対的な速さを一〇〇〇の度合いに分割すると、空気中ではその一〇〇〇分の一を差し引かれて、九九九の度合いで動くでしょう。ところが水中では九〇〇の度合いにしかならないでしょう。水がその重さの一〇分の一の部分を、空気は一〇〇〇分の一の部分を差し引くからです。水よりも少しだけ重い固体、たとえばオークを考えてみましょう。その球は一〇〇〇ドランマ〔一ドランマは三・八九グラム〕の重さで、同量の水が九五〇ドランマ、空気が二ドランマとしましょう。その絶対的な速さを一〇〇〇の度合いであると仮定すれば、空気中では九九八の度合いが残りますが、水中では五〇しか残らないことは明らかです。水が一〇〇〇の重さの度合いから九五〇を取り去り、五〇しか残さないからです。したがって、このような固体は、その重さが水の重さを上回る超過分がそれ固有の重さの二〇分の一ですから、空気中では水中よりもほぼ二〇倍速く動くでしょう。ここで考慮しなければならないのは、水よりも比重が大きい物質しか水中では下方に動き得ないのですから、その結果、空気より何百倍も重いということになりますから、これらの物質の空気中における速さと水中における速さとの比を求めるには、空気はこれらの物質の絶対的な重さから、したがって絶対的な速さから何も差し引かないとみなしても大きな誤差はないということです。だから、それらの重さが水の重さを上回る超過分はすぐにわかりますから、それらの空気中での速さが水中での速さに対してもつ比は、それらの全体的な重さが、水の重さを上回る超過分に対してもつ比と同じであると言えるでしょう。たとえば、象牙の球が二〇オンチャの重さで、同量の水が一七オンチャの重さだとしましょう。したがって、象牙の空気中での速さが水中での速さに対してもつ比は、ほぼ二〇対三になります。

**サグレド**　この論題はそれ自体として興味深く、何度もむなしくわたしの頭を疲れさせてきたものですが、大いに学ぶことができました。この考察を実践するには、水の重さに比べて、したがって他の重い物質に比べて空気の重さがどれほどかを知る方法を見つけるだけでよいのです。

**シンプリチョ**　もし空気が重さではなく、軽さをもっているとわかれば、論じられてきたことに対して何と言うべきでしょう。とても創意に富んでいるのですが。

**サルヴィアティ**　実際のところ空疎で軽薄で取るに足らないと言わねばならないで

しょう。しかし、アリストテレスがすべての元素には重さがあると述べて、空気も重さをもっていると断言している明解な原典があるのに、[13] あなたは空気に重さがあることを疑おうというのですか。その証拠としては(彼は付け加えていますが)ふくらんだ革袋は空気を抜かれた革袋より重いのです。

**シンプリチョ**　ふくらんだ革袋やボールが重いというのは、空気の重さによってではなく、その底のほうで空気と混ざっている大量の蒸気のためだと思うのですが。革袋の重さが増すのはそのためだと言うべきでしょう。

**サルヴィアティ**　あなたにそのようなことを言ってほしくありませんし、ましてやアリストテレスにそのようなことを言わせようとしてほしくもありません。なぜなら、彼は元素について語り、実験によって示して空気の元素には重さがあることをわたしに納得させようとしているのです。たとえ彼がそれを証明するために「革袋を大量の蒸気で満たし、その重さが増えたのを見よ」と述べたとしても、わたしは彼にふすまで満たせばもっと重くなると言ってやります。さらにわたしは、その実験はふすまにも大量の蒸気にも重さがあることを証明しているが、空気の元素については以前と同じ疑問のままだと付け加えます。ところで、アリストテレスの実験はすぐれており、彼の命題は正しいのです。しかし、名前は忘れましたが、読んだことは覚えているある哲学者の別の議論については、ほのめかしているだけですが、そのようには言えないでしょう。その議論というのは、空気は軽いものを上方に運ぶよりも容易に重いものを下方に運ぶから、軽いというより重いというものです。

**サグレド**　本当にすばらしい。その理由だと、あらゆる重い物体は水中よりも容易に空気中で下方に運ばれ、あらゆる軽い物体は空気中よりも水中のほうが軽やかになりますから、空気は水よりも重いということになりますね。それどころか、無数の重い物体が空気中で落下し、水中では上昇し、無数の物質が水中で上昇し、空気中では下降するのです。しかしシンプリチョさん、革袋の重さが大量の蒸気のためか純粋な空気のためかということは、この蒸気に満ちた領域で動いている可動体に何が起こるかを追求しようとするわたしたちの目的の妨げとはなりません。しかしながら、わたしをもっと悩ましていることに戻ると、この問題についての完全無欠な知識を得るために、空気に重さがあることを（わたしは信じていますが）確かなものとするだけでなく、できればその重さがどれほどかを知りたいのです。ところでサルヴィアティさん、このことについてわたしを満足させられるというのなら、どうかそうしてくださいますか。

**サルヴィアティ**　空気には確実な重さがあり、おそらくどんな物質にも見つけられないでしょうが、何人かが信じているような軽さをもっていません。アリストテレスによってなされたふくらんだボールの実験がその決定的な論証を提供しています。空気に絶対的で確実な軽さという性質があるのなら、空気が増大され圧縮されると、軽さを増し、結果として上方へ向かう傾向を増すでしょう。しかし、わたしたちの実験はその反対を示しています。もうひとつの質問の空気の重さをどのような方法で求めるかについては、わたしは次のような方法を実行したことがあります。首がくびれた大容量のガラスビンを用いて、首のところに革の指貫を取り付けて、ビンのくびれにしっかりとはめ込み、その指貫の先端にボールの弁を差し込んでしっかりと固定したのです。この弁を通して注入器でビンに大量の空気を強引に入れました。ビンはこの圧縮に充分に耐えて、通常のビンの容量の二、三倍も押し込むことができるのです。わたしは非常に精密な天秤で、細かな砂で重さを調節しながら圧縮された空気が入ったビンの重さを厳密に量りました。その後に弁を開けて容器に強制的に入れられていた空気を排出し、天秤に戻しました。すると明らかに軽くなっており、天秤が他方の錘、つまりビンと釣り合うまで一方の錘になっていた砂を脇に取り除いていきました。これで、取り出された砂の重さがビンのなかに強制的に詰め込まれ、その後に排出された空気の重さであるのは明らかです。しかしここまでのところ、この実験はビンに強制的に入れられた空気が取り出された砂と同じ重さであるということしか保証してくれません。空気が水や他の重い物質と比べてはっきりと決定的にどれほどの重さがあるのかということについては、圧縮された空気の量を測定しないかぎり、わからないままなのです。これを究明するには規則を見つける必要があり、わたしはその規則に従うと二つの方法で実行することができると思いつきました。そのひとつは、最初のものと同様にもうひとつのくびれたビンを使います。そのくびれのところに、最初のビンの先端に弁が取り付けられた指貫がしっかりとはめ込まれており、そのくびれのまわりで固く縛り付けられています。この第二のビンは底に穴が開けられており、その穴には鉄の棒が通るようになっています。これを使えば、望むときに弁を開き、重さを量ったあとで最初のビンの過剰な空気を外に出すことができます。ところで、この第二のビンは水で満たされています。この方法で準備が整い、棒で弁を開くと、空気が勢いよく排出され、水の入った容器のほうに入っていき、水は底の穴から外に追い出されます。このようにして追い出された水の量が他方の容器から排出された空気の体積に等しいことは明らかです。だから、この水を保存し、圧縮された空気だけ軽くなった容器をもう一度量ります(以前に圧縮された空気が入っていたビンも計量されていたとします)。そして、すでに説明したように、過剰な砂を取り除くと、それが追い出されて保存されている水と同じ体積の空気の正確な重さであるのは明らかです。この水の重さを量り、その重さが取り除かれた砂の重さの何倍かがわかれば、水の重さが空気の重さの何倍であるかを間違いなく断言できます。それはアリストテレスが見積もったと考えられている一〇倍では決してなく、この実験が示しているように四〇〇倍ほどもあるでしょう。もうひとつの方法はもっと簡便なもので、容器ひとつ、つまり、すでに述べた方法で準備された最初のもので可能です。そのなかには自然に存在する以上の空気を入れる必要はなく、空気がまったく出ていかないようにして水を詰め込めばよいのです。空気は突然入ってきた水に屈服して、強制的に圧縮されます。できるだけ多くの水を押し込んで、それほどの力を加えなくてもビンの容量の四分の三を入れることが可能ですが、天秤にかけて重さを注意深く量ります。これが終わると容器の首を上に向けて弁を開け、空気を排出します。外に逃げ出した空気の量はビンに入っている水とぴったり同じ量です。空気を排出した容器を天秤に戻すと、空気が出ていったためにどれほど軽くなったかがわかるでしょう。他方の錘から過剰な重さを差し引けば、その重さからビンの水と同量の空気の重さが得られるでしょう。

**シンプリチョ**　あなたが見つけた工夫は緻密で、とても創意に富んでいるとしか言いようがありません。しかし、一見してわたしの知性に完全に満足を与えてくれると思われるものの、別の面ではわたしを困惑させています。元素はそれ自体の領域内にあれば軽さも重さもないというのは疑いようのない真実ですから、たとえば砂の四ドランマの重さをもっているように思われる空気の一部が、どうして、またどこにあれば、空気中で他方の錘となっている砂が、空気中でもつ重さを現実にもつことになるのかが理解できないのです。だから、この実験は空気の元素中ではなく、空気が自らの重さの性向を発揮できる媒質中で、実際にその性向をもっていればですが、なされるべきだと思われます。

**サルヴィアティ**　確かにシンプリチョさんの反論は辛辣です。解決できないとするか、それとも解答は少なくとも捕らえどころがないものとしなければならないかもしれません。圧縮されると砂と同じ重さを示した空気は、その元素中に解き放たれると、もはや重さをもたないのに、砂はそのままというのはきわめて明らかです。だから、この実験をするには、空気が砂同様に降下する場所と媒質を選ぶ必要があります。なぜなら、何度も話したように、媒質は、そのなかに浸かったすべての物質の重さから、浸かっている体積と同量の媒質の重さを差し引き、したがって、空気中の空気はその重さをすべて失うからです。だから、この作業を厳密に行なうには真空中でなければなりません。そこでは、すべての重いものは減衰することなく自らのモメントゥムを発揮するでしょう。それではシンプリチョさん、真空中での一定量の空気の重さを量れば、あなたはその事実に納得し、安心してくれますか。

**シンプリチョ**　もちろんです。しかし、それは不可能なことを望み求めることです。

**サルヴィアティ**　わたしがあなたのために不可能なことを実現すれば、わたしに対する感謝の気持はとても大きなものでなければなりませんね。しかし、あなたにすでに与えてしまったものを売ろうとは思いません。以前に提示した実験で、わたしは空気中や他の充満した媒質中ではなく、真空中での空気の重さを量っているからです。シンプリチョさん、流体の媒質中に浸かっているものがその媒質によって重さを差し引かれるのは、それが切り開かれ、追い出され、ついには持ち上げられることに抵抗するからです。その証拠は、媒質中に浸かっていたものがなくなるとすぐに、それが占めていた空間を満たそうとして流れ込む媒質の機敏さが与えてくれます。このように潜入されても媒質が何も感じないのであれば、それに対してまったく反応しないでしょう。そこで答えてほしいのですが、あなたが空気中で同じ自然の空気が入ったビンを手に取り、その容器に新たな空気をさらに強制的に注入すると、まわりの大気はどのように分割され、押しのけられるでしょうか、要するに、どのように変化させられるでしょうか。ビンが膨張し、その結果、まわりの大気はそれに場所を譲って大きく後退するでしょうか。そんなことはありません。余分の空気は大気中に浸かっているわけでも、そこに場所を占めているわけでもなく、あたかも真空中に身を置いていると言うことができます。それどころか、それは実際にそこにあって、最初の圧縮されていない空気によって完全には満たされていなかった真空と入れ換わっているのです。実際、そのなかにあるか、まわりにあるかという二つの状態には何の違いも認めることはできません。まわりにある大気はそのなかにある空気を圧迫することはなく、そのなかにある空気は大気を押し動かすことはないからです。真空中にある物質の状態とビンのなかで圧縮された空気の状態は同じようなものです。だから、圧縮された余分の空気が示す重さは真空中に拘束されることなく拡がった空気の重さです。他方の錘になっている砂の重さは、大気中よりも真空中で量ったほうが少しだけ精確だというのはそのとおりです。だから、空気は実際には他方の錘になっている砂の重さよりいくらか重いと言わねばなりません。つまり、真空中における〔砂と〕同体積の空気の重さだけ重いのです。

**シンプリチョ**　話された実験には物足りない気がしていましたが、これですっかり満足しました。

**サルヴィアティ**　ここまでわたしが提出したこと、とりわけ重さの違いは、たとえそれが大きくても、可動体の速さの違いにはまったく関係しない、したがって、速さが重さに左右されるかということに関するかぎり、すべてのものは等しい迅速さで動くであろうというのはまったく新しいことです。一見してこれはありそうもないことだと思われます。もしわたしがそれを解明し、太陽よりも明らかにする手段をもたないのなら、それについての発言を控えて黙っているほうがよいでしょう。しかし、口に出してしまったのですから、それを確証する実験や議論をやり残すわけにはいきません。

**サグレド**　それだけでなく、あなたの命題の多くは一般に受け入れられている意見や学説とかけ離れています。だから、それらを公言すると無数の反駁者を挑発することになるでしょう。人間の本性というものは、他人によって見いだされたことが正しかろうと間違っていようと、自分たちが見いださなかったことについては疑いの眼でしか見ないのです。彼らは学説の変革者の称号を与え、これは大衆の耳には感じのよいものではないのですが、自分たちではほどけない結び目を切ってしまおうとがんばるのです。そして、忍耐強い職人が通常の道具を使って建設した建物を地下の地雷で吹き飛ばそうとするのです。しかし、わたしたちはこのような思い上がりから程遠く、これまでに出された実験と議論でわたしたちを納得させるに充分です。しかしながら、別のもっとわかりやすく説得的な実験があるのなら、聞かせてくれませんか。

**サルヴィアティ**　多少の困難はあるのですが、可能なかぎり重さの異なる二つの可動体を使った実験があります。それらを高いところから落として、それらの速さが等しいかどうかを観測するのです。しかし、かなりの高さになると、落体のインペトゥスによって切り開かれて脇に押しやられる媒質は、非常に重い可動体の大きい力よりも非常に軽い可動体の小さいモメントゥムに大きな損失を与え、そのために長い距離を通過すると軽いほうは取り残されるでしょう。低いところなら本当に差があるかどうかは疑わしいでしょうし、たとえ差があっても観測できないでしょう。そこで、低いところからの落下を何度も繰り返して、大きいほうの到着と小さいほうの到着とのあいだのごくわずかな時間差のすべてを累積しようと考えました。このように足し合わせると、時間〔差〕が観測できるというだけでなく、はっきり観測できるでしょう。さらに、重さのみに依存する効果をかき乱す媒質の抵抗がほとんど働かないできるだけ遅い運動を利用するため、可動体を水平面から大きく立ち上がっていない斜面上で落下させようと考えました。この平面上でも、鉛直の場合と同じように重さの異なる重い物体がどのように振る舞うのかを見分けることができるからです。さらに、可動体がこの斜面と接触することで生じるかもしれない障害をなくしたいと考えました。結局、ひとつは鉛で、もうひとつはコルクの、鉛のほうがコルクよりも一〇〇倍重い二つの球を使い、それぞれを二本の細い長さ四、五ブラッチョの同じ紐で高いところに結びつけて吊るしました。それらの球を鉛直状態から引き離し、同時に放しました。それらは半径となる同様の紐によって描かれる円周に沿って落下していきましたが、鉛直の位置を越え、その後、同じ経路で戻りました。この往復をたっぷり一〇〇回も繰り返すと、重いほうは軽いほうと同じ時間で動き、振動がたっぷり一〇〇回であっても、一〇〇回であっても少しの時間も先行することはなく、コルクの振動が鉛の振動よりも少ないということも決してないということがはっきり示されました。媒質の影響にも気づきましたが、それは運動に多少の障害となり、鉛の振動よりもコルクの振動を小さくするのです。しかし、そのために振動が増えたり減ったりすることはなく、コルクによって通過される弧が五、六度しかなく、鉛のほうが五〇とか六〇度であっても、それらは同じ時間で通過します。

**シンプリチョ**　もしそうなら、どうして鉛の速さがコルクの速さより大きくないということになるのでしょうか。コルクがようやく六度通過する時間に鉛は六〇度も進むのですから。

**サルヴィアティ**　しかしシンプリチョさん、コルクが鉛直から三〇度引き離されて六〇度の弧を進まねばならず、鉛が中央の同じ位置から二度だけ離されて四度の弧を通過するとき、どちらも同じ時間で往復するなら、何と言われますか。この場合は同じようにコルクのほうが速いのではないでしょうか。実験はこのことが起こると示しています。だから次のことに注意してください。鉛の振子を、たとえば鉛直から五〇度引っ張って放すと、鉛直を通り過ぎてさらに五〇度ほど進んで一〇〇度ほどの弧を描き、戻ってくるときにはそれより少し小さい弧を描きます。この振動を続けて、何回も繰り返したのち、最後には静止するということです。この振動のそれぞれは、九〇度の振動も、五〇度の振動も、二〇度も、一〇度も、四度であっても等しい時間でなされます。したがって結果的には、可動体は等しい時間で次第に小さくなっていく弧を通過しますから、その速さは衰えていきます。これと同様の現象が、それどころか同じ現象が、同一の長さのロープによって吊り下げられたコルクでも起こります。ただし、その軽さのために空気の妨害に打ち勝つことができないために、もっと少ない振動回数で静止してしまいます。それにもかかわらず、振動は大きくても小さくても同じ時間でなされ、鉛の振動時間とも等しいのです。だから、鉛が五〇度の弧を通過するあいだに、コルクが一〇度しか通過しないのなら、コルクは鉛よりも遅いというのは正しいのですが、逆に鉛が一〇度とか六度の弧を通過するあいだにコルクが五〇度の弧を通過するということも起こりうるのです。このように、時間が違えば、あるときは鉛のほうが速く、あるときはコルクのほうが速いのです。しかし、同一の可動体が等しい時間に等しい弧を通過するのなら、それらの速さは等しいと言って差し支えないでしょう。

**シンプリチョ**　この議論の説得力については、半信半疑です。可動体のどちらかがあるときには速く、またあるときには遅く動き、さらにあるときにはもっとも遅いのですから、それらの速さがつねに等しいということが本当かどうか理解できなくて、わたしの頭は混乱しています。

**サグレド**　サルヴィアティさん、わたしにもちょっと言わせてください。シンプリチョさん、もしコルクと鉛が静止状態から同時に出発して、同一の斜面上を動き、いつも等しい時間に等しい距離を通過すれば、それらの速さは等しいと断言できるということを認めるのかどうか、教えてください。

**シンプリチョ**　それについては疑いの余地はありませんし、反論することはできません。

**サグレド**　振子に起こるのは、それぞれがあるときは六〇度、あるときは五〇度、またあるときは三〇度、一〇度、八度、四度、二度等々を通過するということです。どちらも六〇度の弧を通過するときは同じ時間で通過し、五〇度の弧の場合は、一方の可動体が費やすのと同じ時間を他方も費やします。三〇度、一〇度、その他の弧でも同様です。だから、六〇度の弧における鉛の速さは同じ六〇度の弧におけるコルクの速さに等しく、五〇度の弧におけるそれらの速さは等しく、他についても同様だと結論できます。しかし、六〇度の弧における速さが五〇度の弧における速さに等しいとか、三〇度の弧等々の速さに等しいと言っているのではありません。弧が小さくなるほど、速さは小さくなっていきます。わたしたちが適切に観察すれば、同一の可動体は六〇度の弧を通過するのに費やすのと同じ時間で五〇度の小さい弧や一〇度のもっと小さい弧を通過するということがわかります。要するに、すべての弧は等しい時間で通過されるのです。したがって、鉛とコルクの運動は弧が小さくなるに従って遅くなりますが、それらが通過する同一の弧のすべてで速さの等しさが維持されるということについては変わらないのです。わたしがこれを言うのは、わたしがサルヴィアティさんの考えていることを充分に理解しているかどうかを知りたかったからで、シンプリチョさんにはサルヴィアティさんの説明よりもっと明確な説明をする必要があると考えたからではありません。サルヴィアティさんの説明は、すべてにおいてそうですが、非常に明解です。彼は、外見が不明瞭というだけでなく、本質的にも実際にもうんざりさせられるような問題を、すべての人に使い古されてなじみのある理屈、観察、そして実験によっていつも解いています。このことで、とても単純で通俗的な基本原理に依存しているため、（さまざまな人から聞き及んでいるところでは）ある高く評価されている教授に彼の創意が無価値なものであるかのようにみなされ、軽視されるきっかけを与えることになったのです。まるで、それらがあらゆる人によく知られ、理解され、認められている原理に由来し、そこから出現しているということは論証的科学のもっとも称賛に値し尊重されるべき条件でないかのようです。しかし、わたしたちはこの軽食を味わい続けましょう。シンプリチョさんがさまざまな可動体に固有の重さはそれらの速さの多様性とは無関係であり、そのために重さに関するかぎり、同じ速さで動くと理解し、認めていると仮定して、サルヴィアティさん、あなたが感覚で捉えられる明白な運動の不等性をどう処理するのかを話して、シンプリチョさんが反対していることに答えてください。それにはわたしも同意していて、砲弾が鉛の銃弾よりも速く動くのを見ているのです。あなたの考えによると、速さの違いはほとんどないはずです。わたしが反対しているように、同一の物質でできた可動体のうち大きいほうが媒質中を脈拍一回もしないうちに落下する距離を、小さいほうは一時間かかっても、四時間、あるいは二〇時間かかっても通過しないことがあるのです。石と小さい砂がそうで、とくに水を濁らすような非常に細かい砂は、この媒質中でさほど大きくない岩が脈拍一回で通過する二ブラッチョを何時間かかっても落下しないのです。

**サルヴィアティ**　比重の小さい可動体を遅くする媒質の作用については、重さが減らされることによって起こると説明しましたから、すでに明らかにされています。しかし、同一の媒質中で、たとえ同一の物質でできていて同形であっても、大きさが異なる可動体の速さに大きな違いがあるのはどうしてかということを明らかにするにはもっと緻密な議論が必要であり、可動体が平らな形をしているほどその速さを減らすとか、あるいは可動体に逆らう媒質の運動が減速させるとかといったことを理解するだけでは充分ではないのです。わたしはこの問題について、固体の表面に一般にあって避けがたい粗さと多孔性に原因があると考えています。物体が動くと、それらの粗さが空気や周囲の媒質と衝突するのです。その明らかな証拠は、物体ができるだけ丸くされていても、それが空気中をすばやく通過するとブンブンという音が聞こえてくることです。それらにはっきりとしたへこみや突起があれば、このブンブンという音だけでなく、シューという音やピューという音も聞こえます。さらに、旋盤上で回転しているどんな丸い固体でも微風を生じるのがわかります。これ以外にも、コマが地面で高速で回ると、もっと高音の大きい回転音がはっきり聞こえないでしょうか。このピューという高音は、旋回の速さが次第に衰えてくるにつれて低くなっていきます。その理由も、それらの表面の凹凸が、たとえわずかであっても、空気中では障害となるのが避けがたいということです。可動体は落下している途中で周囲の流体との摩擦によって速さを減らし、表面が大きいほど大きく減らすのは疑いようもありません。より小さい固体の表面ほど、より大きい固体の表面に比べてそうなっているのです。

**シンプリチョ**　わたしは混乱し始めていますので、待ってください。可動体の表面と媒質との摩擦が運動を遅くし、他の条件が同じであれば、その表面積が大きいほど遅くなるということをよく理解し、認めはしますが、あなたが何を根拠として小さい固体の表面積ほど大きいと言うのかがわからないのです。さらに、あなたが断言しているように、より大きい表面積のものほどより遅くなるのであれば、より大きい固体ほど遅くなるはずですが、そのようなことは起こりません。しかし、この難点は次のように言えば、簡単に排除されます。大きいものほど大きい表面積をもっているが、大きい重さももっており、その重さと比べた大きい表面積の障害は、小さい重さと比べた小さい表面積の障害を上回るものではなく、そのために大きい固体の速さは小さくならないのです。だから、動因となっている重さが減れば、表面の減速効果も同じだけ減るので、速さの等しさを変える原因が見つからないのです。

**サルヴィアティ**　あなたの反論はすべて一挙に解決できます。シンプリチョさん、同一の物質でできた、形も相似の二つの等しい可動体(確実に等しい速さで動きます)があり、その一方の重さをその表面積と同じだけ減らしても(形は同じままにして)、速さは減らないということを、あなたは議論の余地なく認めますよね。

**シンプリチョ**　重さが大きくなっても小さくなっても運動の加速や減速には影響を及ぼさないと考えるあなたの理論に従えば、受け入れなければならないのは確かでしょう。

**サルヴィアティ**　わたしもそう確信します。あなたの言っていることを認めれば、重さが表面積の減少以上に減少すると、結果として、そのように減少した可動体の運動はいくぶん遅くなり、重さの減少が表面積の減少に比べて大きくなるにつれて遅くなっていくと思われます。

**シンプリチョ**　それにはまったく反対しません。

**サルヴィアティ**　そこでシンプリチョさんにわかってほしいのですが、相似した形を維持しながら、固体の表面積を重さと同じだけ減らすことはできないのです。なぜなら、固体の重さを減らす場合、その重さは体積と同じだけ減少し、つねに体積は（とりわけ相似した形を維持すると）表面積以上に減っていくのは明らかですから、重さも表面積以上に減っていくのです。ところで幾何学は、相似した立体の体積のあいだの比はそれらの表面積の比よりも大きいと教えています。あなたがもっと理解できるように、これを具体的事例で説明しましょう。たとえば一辺が二ディートの長さの立方体を想像すると、その各面は四平方ディートとなり、全部で六面の、つまり総表面積は二四平方ディートです。次にこの立方体をノコギリで三回切って、八個の小さな立方体にしたと考えてください。それぞれの面は一平方ディートで、面すべてで六平方ディートですが、元の立方体の表面積は二四平方ディートです。ここで、小さい立方体の表面積は大きい立方体の表面積の四分の一（二四分の六ですから）ということがわかります。しかし、この立方体の体積は八分の一しかなく、それゆえに体積は、したがって重さは表面積よりも大きく減少しています。そして、この小さい立方体をさらに八分割すると、それらのうちのひとつの総表面積は一・五平方で、最初の立方体の表面積の一六分の一です。しかし、その体積は六四分の一しかないのです。二回分割しただけで、体積がその表面積の四倍減少するのがわかるでしょう。もしこの再分割を最初の固体が細かな粉末になるまで続けると、最小原子の重さはその表面積より何百倍も減るのがわかります。立方体で例証したことは、同様の立体のすべてに当てはまることで、その体積はその表面積の二分の三乗に比例します。したがって、可動体の表面が媒質と接触することによる障害が、大きい可動体よりも小さい可動体のほうがどれほど大きい比率で増大するかがわかるでしょう。表面にある細かいほこりのわずかな凹凸でも入念に磨かれた大きい立体の表面の凹凸に劣らないだろうということを付け加えるなら、このように弱い力にも道を譲るためには、媒質が流体で、切り開かれることに対する抵抗がまったくないということがいかに必要であるかを考えてください。いずれにせよシンプリチョさん、少し前にわたしが言った、小さい立体の表面積は大きい立体の表面積と比較して大きいというのは間違っていないと気づいてください。

**シンプリチョ**　すっかり満足しました。信じていただきたいのですが、もしわたしが勉強を再開すべきだとすれば、プラトンの忠告に従って数学から始めたいと思います。わたしの考えでは、数学は非常に慎重に進め、決定的に証明されたもの以外は何ものも確実とは認めないのです。

**サグレド**　この論議はとても愉快でした。しかし先に進む前に、先ほどあなたの言った相似の立体は相互にそれらの表面積の二分の三乗の比になるという表現を理解できればうれしいのですが。これは、わたしが初めて聞いたことです。相似の立体の表面積はそれらの辺の二乗に比例し、同じ立体〔の体積〕は同じ辺の三乗に比例すると証明している命題について読んだことがあり、理解していますが、立体の表面積に対する比については聞いたことがあったかどうか思い出せないのです。

**サルヴィアティ**　あなた自身が答えを出して、疑問を解いていますよ。ある量の三乗になるものがあり、そのある量の二乗になる別のものがあれば、三乗になるものは二乗になる別のものの二分の三乗ではないでしょうか。確実にそうです。もし面が線分の二乗に比例し、立体がその三乗に比例するのであれば、立体は面の二分の三乗に比例すると言えないでしょうか。

**サグレド**　よくわかりました。しかしながら、論じている問題に関連したいくつかの詳細について質問したいことが残っているのですが、このように脱線に脱線していくと、最初に目的としていた砕かれることに対する固体の抵抗についてのさまざまな現象についての問題にたどり着けそうにありません。だから、あなた方がよければ、最初に提案された方向に戻りませんか。

**サルヴィアティ**　あなたの言っていることはもっともです。しかし、多種多様なことを検討してきましたので、多くの時間を奪われてしまい、きょうはわたしたちの主題に費やす時間はほとんど残っていません。それは幾何学的証明に満ちており、注意深く考察しなければなりません。ですから、この集まりを明日まで延期するほうがよいと思うのですが。いま話した理由からだけでなく、このテーマについてのさまざまな核心を提案し証明している定理と命題を順序よく書き留めた文書を持って来たいのです。記憶だけでは順序立てて思い出せないのです。

**サグレド**　この忠告に賛成します。きょうの会議を終了することで、これまで論じてきた問題のなかでまだ疑問に思っていることについての説明を聞く時間があるのなら、なおさら喜んでそうしましょう。それらのひとつは、媒質の妨害が、とても重い物質でできていて、大きくて球形をした物体の加速を終わらせることができるほどの力をもっていると考えられるかどうかということです。球形と言っているのは、それが最小の表面に包まれていて、減速させられにくいからです。もうひとつは振子の振動に関することで、さらにいくつかの項目に分かれます。ひとつはすべての振動は大きくても中くらいでも小さくても、本当に精確に等しい時間でなされるのかどうかということで、もうひとつは〔長さの〕等しくないロープで吊るされた可動体の時間、つまりそれらの振動時間の比はどれほどかということです。

**サルヴィアティ**　よい質問です。すべてがそうですが、それらのどれを論じても、それに続いて別の多くの正しく興味深い結論が出てきてしまい、きょうの残りの時間で論じ尽くすことができないのではと心配です。

**サグレド**　それらが以前のものと同じように味わい深いものでしたら、夜までに残されている時間はもちろん、何日かかっても感謝します。また、シンプリチョさんがこのような議論にうんざりすることはないだろうと信じています。

**シンプリチョ**　もちろんそうです。他の哲学者の著書ではそれらに関する意見や論議を読むことができない自然についての問題を扱うのなら、なおさらです。

**サルヴィアティ**　それでは最初の問題について、たとえ媒質の反抗が弱く、加速を抑制することがないとしても、運動を続けていくと一様な運動にならないような大きい球も重い物質もないと疑問の余地なく断言します。これについては、実験そのものから非常に明確な証拠を得ることができます。もしある落体が〔媒質中で〕運動を続けていくうちにある速さの度合いを獲得できたとすると、その速さは外部の動因によって与えられたものであり、落体が媒質の妨害のためにはねつけられたり、〔加速を〕失われたりするほど大きいものではありません。たとえば、砲弾が、仮に空気中を四ブラッチョ落下し、一〇の速さの度合いを獲得して水のなかに入ったとします。水の妨害が砲弾のインペトゥスを妨げることができないなら、それは加速しながら、あるいは少なくとも速さを保ったまま底に達するでしょう。このようなことが起こるのは見られたことがありません。むしろ、ほんの二、三ブラッチョ沈んだだけで水はそれを妨害して衰弱させ、川底や湖底にほんの軽く衝突させるでしょう。したがって、ちょっと沈んだだけで奪い去った速さを、水は一〇〇〇ブラッチョの深さであっても決して回復させないということは明らかです。その後の四ブラッチョで速さを取り去るのに、どうして一〇〇〇ブラッチョでそれを獲得するのを許したりするでしょうか。次はどうでしょうか。同一の大砲から発射された弾丸の莫大なインペトゥスは水にほんの二、三ブラッチョ沈んだだけで勢いをそがれ、船にはまったく損害を与えることなく、せいぜいのところ、それにぶつかるだけというのを見たことがないでしょうか。空気もまた、非常に従順とはいえ、とても重い落体であっても速さを抑圧します。これは同様の実験で理解できます。なぜなら、もし非常に高い塔の頂上から火縄銃を下に向けて撃つと、たかだか四とか六ブラッチョの高さから火縄銃を撃ったときよりもわずかしか地面に打撃を与えないでしょう。塔の頂上から撃ち降ろされて銃身から出た銃弾のインペトゥスが空気に屈服して減り続けることをはっきりと示しています。だから、空気の抵抗が奪ったインペトゥスを、それがどのような方法によって与えられていたものであっても、どれほど高いところから落ちても獲得することはできないでしょう。カルバリン砲から発射された弾丸が二〇ブラッチョ離れた城壁に与える破壊は、それがどれほど高いところから垂直に落ちてきてもなし得ないと思います。それゆえに、静止から出発するどんな自然的可動体にも加速の限界があって、媒質に妨害されて一様な運動になってしまい、その後はそれを維持し続けると信じます。

**サグレド**　これらの実験は、わたしにはとても目的にかなっていると思われます。反対者が非常に大きくて非常に重いものなら証明できるはずだとか、砲弾が月の窪みから、あるいは空気の上層部からやって来れば大砲から発射されるよりももっと大きい衝撃になると頑強に否認するのではないかということ以外には何もありません。

**サルヴィアティ**　多くの反対があるのは間違いありません。そのすべてに実験によって反駁することはできません。それでも、その反対意見には考慮しておくべきことがあります。つまり、高いところから落下した重い物体が地面に達したとき、その高さまでそれを引き上げるのに必要だったのと同じインペトゥスを獲得しているというのは、とてももっともらしいということです。これは重い振子にはっきりと見られることで、鉛直から五、六〇度引き離すと、空気の妨害によって取り去られるわずかなものを除いて、正確に同じ高さまで届かせることができる速さと力を得るのです。したがって、砲弾が発射されるときに火薬が与えるのと同じインペトゥスを獲得できる高さに砲弾を置くには、同じ大砲で真上に発射すればよいわけで、落ちて戻ってきたときに、近くから発射した衝撃と同じ打撃を与えるかどうかを見ることができます。わたしはそれほど強烈ではないと信じます。大砲から発射されてすぐの弾丸がもつ速さは、どんな高いところからであっても、空気の妨害のために静止から出発する自然落下運動では獲得できないものだと考えます。

さて、振子に関する別の問題まで来ました。これは多くの人に、とりわけ自然についての深遠な問題に従事し続けてきた哲学者たちにはとても無味乾燥なものだと思われていますが、それにもかかわらず無視してよいものではありません。わたしは賛美するアリストテレスその人の手本に勇気づけられているのですが、何にも増して彼は、何らかの方法で考察するに値する問題やまだ着手していなかった問題を放置するようなことはしなかったと言ってよいでしょう。そこで、あなたの質問に刺戟されてですが、音楽に関するいくつかの問題についてのわたしの考えをお話ししたいと思います。これはとても高尚な問題で、多くの偉大な人びととアリストテレスその人がそれについて書いてきたのです(14)。彼はそれについての多くの興味深い問題を考察しています。ですから、わたしも簡単で感覚的に理解できる実験によって音に関する驚くべき出来事の原因を導けば、わたしの議論はあなた方に気に入ってもらえると期待しています。

**サグレド**　歓迎するだけでなく、それを切望します。わたしはあらゆる楽器を楽しみ、協和音について大いに考察してきたのですが、なぜあるものが他のものよりも好ましく快いのか、そのいくつかは快くないだけでなく、最高に感情を害するのかということが理解できず、途方にくれていたのです。さらに、同度に調律された二本の絃についての昔からの問題、つまり、その一方を鳴らすと他方が動かされて共鳴するという問題もわたしには未解決で、協和音の〔比の〕形式やその他についてもわからないのです。

**サルヴィアティ**　わたしたちの振子がこれらの難問のすべてに満足をもたらすかどうかを検討しましょう。まず、同一の振子の振動は大きくても、中くらいでも、小さくてもぴったり等しい時間で実際に精確になされるかどうかという疑いについては、わたしたちのアカデミア会員からかつて聞いたことに頼ることにします。彼が証明したのは、〔同じ円の〕任意の弧に対して張られた弦に沿って落下する可動体は、それが一八〇度の弧に張られた弦（つまり直径）であっても、一〇〇、六〇、一〇、二、〇・五度、さらに四分の弧に張られた弦であっても、それらがすべて水平面に接する最下点で終わっていると理解すれば、すべて必然的に等しい時間で通過するということです。さらに、水平面から立ち上がった同じ弦に対する弧に沿っての落下に関しては、四分の一円より大きくなければ、つまり九〇度以下であれば、すべては等しい時間で通過されることが実験によってはっきりと示されます。ただし、弦に沿って通過するよりも短時間です。この現象は、一見したところ逆の結果になると思われるほど驚くべきものです。運動の出発点と終点は共通しており、直線が同じ端を結ぶ最短のもので、それらに沿った運動のほうが短時間で通過すべきだというのが理にかなっていると思われるからです。ところがそうではなく、これらの直線を弦とする弧に沿ったほうが短時間で、したがって速い運動となるのです。さらに、異なる長さのロープで吊るされた振動の時間の比について、それらの時間はロープの長さの平方根に比例します。長さは時間の二乗に比例すると言ってもよいでしょう。たとえば、振子の一振動時間を他の振子の一振動時間の二倍にしたいのであれば、前者のロープの長さを後者の長さの四倍にしなければなりません。さらに一方のロープが他方よりも九倍長ければ、前者の一振動時間中に他方は三回振動するでしょう。ここから、ロープの長さは相互に、同じ時間でなされる振動回数の平方根に〔反〕比例するということになります。

**サグレド**　それでは、わたしの理解が正しいとすると、非常に高いところから吊り下げられていて、その上端は見えず、下端だけが見えるロープの長さを容易に知ることができますね。とても重い錘をロープの下端に結びつけ、それを前後に揺らし、友人が振動回数を数えればよいのです。同時にわたしも精確に一ブラッチョのロープに吊るされた別の可動体の振動を数えるのです。同時間になされるこの振子の振動回数から、ロープの長さがわかります。たとえば、わたしの友人が長いロープの振動を二〇回数えるあいだに、わたしが一ブラッチョの長さのロープの振動を二四〇回数えたと仮定すると、二〇と二四〇の二つの数の二乗は四〇〇と五七六〇〇であり、わたしのロープが四〇〇個含む単位を長いロープは五七六〇〇個含んでいると言えます。わたしのロープは一ブラッチョですから、五七六〇〇を四〇〇で割ると一四四になります。すなわち、そのロープの長さは一四四ブラッチョであると言えます。

**サルヴィアティ**　一パルモも違っていないでしょう。とくに、あなたが振動を多数回数えたとすればそうです。

**サグレド**　あなたは、とても平凡でつまらないと言ってもよいことから、とても新奇で、わたしの想像力から遠く離れた知識を引き出してきて、自然の豊かさと大きな恵みを称賛する機会を与えてくれます。わたしは振動に、とりわけ、いくつかの教会内で長いロープによって吊り下げられたランプが、不注意にも誰かによって動かされ、振動するのに何度となく注目してきました。しかし、そのような観察からわたしが導き出したのは、せいぜいのところ、その運動は媒質、つまり空気によって維持され継続していると考えている人びとの意見は本当らしくないということでした。なぜなら、空気はすばらしい判断力をもっていて、寸分違えることなく吊り下げられた錘を非常に規則的に前後に押しやることに何時間も費やしていることになるのではと思われたからです。これで、一〇〇ブラッチョのロープで吊るされた同一の可動体が最下点からあるときは九〇度、またあるときは一度、あるいは半度遠ざけられても、その最小の弧を通過するのに要する時間は最大の弧を通過するのに要する時間と同じであると学びました。あり得ないという気がまだしているのですが、それまでこのことに気づいていなかったのは信じられないほどです。さて、このとても単純で小さなものが音楽の問題に関して、たとえ部分的であっても、わたしを安心させてくれるどのような理論を授けてくれるのか、ぜひとも聞かせてください。

**サルヴィアティ**　まず何よりも、それぞれの振子は前もって決められた有限の振動時間をもつと言っておかねばなりません。それを、それ独自の自然的な周期とは異なる周期で動かすことはできないのです。だから、錘が結びつけられたロープを手にとって、その振動回数を望むだけ増やしたり減らしたりしてみてください。無駄なことでしょう。ところが、重くて静止している振子であっても、それに息を吹きかけるだけで運動を与えることができます。それ固有の振動時間に合わせて繰り返し息を吹きつけたときにだけ、この運動はさらに大きくなります。最初のひと吹きで振子を鉛直線から半ディート移動させたとすると、こちらに戻ってきて二回目の振動を始めようとするときに次の息を加えると、それに新たな運動を与えることになります。このようにして、振子がこちらに向かってくるときにではなく(これは振子の邪魔をして、運動の助けとなりません)、しかるべきときに息を吹きつけ続けます。何度も刺戟し続けると、それを止めるには息よりももっと大きな力が必要になるほどのインペトゥスを振子に与えることになります。

**サグレド**　子どもの頃、たったひとりの男がしかるべきときに刺戟を与えてとても大きな鐘を鳴らすのを見たことがあります。その後、四人から六人がロープに取り付いて中断させようとしたのですが、全員が高く持ち上げられ、彼らが束になってもたったひとりが規則的に引っ張って鐘に与えたインペトゥスを阻むことができなかったのです。

**サルヴィアティ**　この例はわたしが先に述べたことに劣らずわたしの意図するところを適切に説明しており、チターやチェンバロの絃についての注目すべき問題の原因を明らかにするのにふさわしいものです。その問題というのは、その絃が同度で協和している絃だけでなく、その八度や五度音程の絃も動かし、鳴り響かせるということです。絃は弾かれると振動し始め、その音が聞こえているうちはずっと振動し続けます。この振動はそのまわりの空気を振動させ、震わせます。この震えのさざ波が広範囲に拡がり、同一の楽器のすべての絃だけでなく、近くにある別の楽器のすべての絃にもぶつかります。最初の絃と同度に張られた絃は同じテンポで振動しますから、最初の刺戟で少し動き始め、さらに二回目、三回目、二〇回目〔の刺戟〕が、さらにもっとやって来ると、それらのすべてが周期的に付け加わり、ついには最初の絃と同じように震えるようになり、その振動を原因となった最初の振動と同じ大きさの空間に拡げていくのがはっきりわかります。この空気中を拡がっていくうねりは絃だけでなく、他のどんな物体でも震わし、震えている絃と同じテンポで振動させます。このため、もしさまざまな剛毛やその他の柔軟な小さな物質がチェンバロの縁に置かれていれば、その楽器が奏でられているあいだ、その振動と同じテンポの絃が弾かれたときに剛毛や小さなものが震えるのが見られます。その他のものはこの絃の音で動かされることはありませんし、このときに震えたものが他の絃の音で震えることもないのです。もし弓でヴィオラの太い絃を力強く弾き、薄くて滑らかなガラスのコップを近づけると、この絃の音程がコップの音程と一致したときに、コップは震えてはっきり聞こえるほど共鳴します。さらに、共鳴している物体のまわりに媒質のさざ波が遠くまで拡がっていくのは、水を入れたコップの縁を指先で擦ると、コップが音を出すことではっきりわかります。なぜなら、水に規則正しい波が生じるのが見られるからです。同じ現象は、コップの下部を充分に大きな容器の底に置き、容器のなかにコップの縁の近くまで水を入れておけばもっとよくわかります。同様に、指の摩擦で音が出て、水のなかに非常に規則正しいさざ波が立ち、コップの周囲に遠くまで高速で拡がっていくのが見られるからです。わたしは同じようにしてもっと大きく、水がいっぱい入ったコップが音を出すのを何度も見かけたのですが、最初は水の波が非常に均一に作られていたのに、コップの音程が一オクターブ上がると、その瞬間に前述の波のそれぞれが二つに分かれたのです。この出来事は、オクターブが二倍〔の比〕であることを非常に明確に結論づけています。

**サグレド**　わたしも一度ならず同じ出来事を見て、楽しみ、また有益でした。この協和音について長いあいだ途方にくれていたからで、これまで音楽について学識豊かに執筆してきた著者たちが共通して提示している理由に充分な説得力があるとは思えなかったのです。彼らが言うのは、ディアパソン、つまりオクターブは二倍〔の比〕のなかに含まれ、わたしたちが五度音程と呼ぶディアペンテは三対二のなかに含まれている等々ということです。なぜなら、一絃琴に張られた絃の全体を奏で、次に中央に駒を挟んで半分を奏でると、オクターブが聞こえます。全体を弾いて、次に駒を絃全体の三分の一のところに挟んで三分の二の部分を弾くと、五度音程が聞こえてくるのです。彼らが言うには、オクターブは二対一の比のなかに含まれ、五度音程は三対二の比のなかに含まれているのです。わたしに言わせれば、この理屈は、二倍の比と三対二の比を自然のものであるオクターブと五度音程に規則的に割り当てるには、説得的ではないと思われるのです。わたしの理由は次のものです。絃の音程を高くするには三つの方法があります。そのひとつは絃を短くすることで、もうひとつは絃を強く張ることで、引っ張ると言ってもよいでしょう。三つ目は細くすることです。絃の張力と太さを同じままにしておき、オクターブを聞きたいのであれば、長さを半分にしなければなりません。つまり、絃の全体を弾いておき、次に半分を弾くのです。しかし、長さと太さを同じままにしておき、強く引っ張ることでオクターブを出させたいのであれば、張力を二倍にするのでは不充分で、四倍にする必要があります。このため、最初は一リブラの錘で引っ張られていたとすると、オクターブ高くするには四リブラの錘を結びつけねばなりません。最後に、長さと張力を同じままにしておき、絃をもっと細くすることでオクターブを得たいのであれば、もとの太さの四分の一にしなければならないでしょう。わたしがオクターブについて話していること、つまり、絃の張力や太さから導かれる比は長さから得られる比の二乗であるということは、他の音程のすべてに当てはまります。それゆえ、絃の全体を奏でて、次に三分の二の長さを奏でるときのように、三対二の比の長さが与えるものを張力や細さから得たいのであれば、三対二の比を二乗し、九対四でなければなりません。五度音程を得るには、もし低音の絃が四リブラの錘によってぴんと張られているのであれば、高音の絃には六ではなく九リブラを結びつけ、太さについてであれば、低音の絃を九対四の比で高音の絃より太くしなければなりません(15)。これらはとても正確な実験ですから、利口な哲学者たちがオクターブを四倍ではなく二倍〔の比〕と決め、五度音程を四分の九ではなく二分の三と決めた理由を見つけられなかったのです。しかし、絃の振動はとても回数が多くて、声に出して数えることはまったく不可能ですから、音を出して振動しているコップのなかの波が望むだけの時間持続していなければ、オクターブの高音のほうの絃が同じ時間に低音のほうの絃よりも二倍振動するかどうかについてはあいまいなままだったでしょう。このことは、どうして音程が一オクターブ上がった瞬間に以前の波が真ん中できれいに二つに分かれて小さい波が生み出されるのかということをはっきり説明しています。

**サルヴィアティ**　とても見事な実験で、発音体の震えによって生じた波をひとつずつ区別することができます。その後この波は空気中に拡散し、わたしたちの耳の鼓膜を刺戟し、それが心のうちで音となるのです。しかし、指で擦っているあいだだけしか水のなかに波を観察することができず、ずっと持続しているわけでもなく、絶えず生まれたり消えたりしますから、簡単にそれを測定し、気軽に数えられるようにするため、長時間、何カ月も何年もきれいに持続する波を作ることができれば素晴らしいことではないでしょうか。

**サグレド**　本当に高く評価すべき工夫でしょう。

**サルヴィアティ**　その工夫をたまたま見つけただけなのですが、その仕組み自体は粗末とはいえ、わたしはそれを利用し、高尚な考察についての新たな証拠であると考えたのです。真鍮の板を鋭利な鉄のノミで擦って汚れを取り除いていたのですが、その上でノミを何度も素早く滑らせるうちに、一、二度ピーという音が聞こえてきて、とても力強くはっきりしたシューという鋭い音も出てきたのです。板の上を調べると、互いに平行で正確に等間隔になった細くて長い縞模様が見えました。再び何度も擦ると、ノミが板の上にさざ波を残すのはピーという音を出して擦っているときだけということに気づきました。ゆっくりと擦ったときには、そのような縞の痕跡すら残さなかったのです。さらに何度もこのいたずらを繰り返し、あるときは速く、あるときはゆっくり擦ると、シューという高い音や低い音が出てきました。そして、高い音のときに作られる縞は密で、低いときにはまばらということに気づきました。あるときには、最初よりも終わりに近づくにつれて速く擦っていくと、音は高くなっていき、縞は密になっていきましたが、どれも非常にはっきりして完全に平行になっていたのです。これ以外にも、擦ってシューという音が出ているときは握っている鉄が震え、ある種の緊張が手に走りました。要するに、この鉄に見られ聞こえてくることは、わたしたちがひそひそ声で、続いて大声で話しているときに起こることとちょうど同じなのです。音を出さずに息を吐き出すと、喉にも口にも何の動きも感じられませんが、これに比べて声を出すと、喉頭と口腔全体に感じられるほどの大きな震えがあります。とくに低い大声のときが最大になります。またあるとき、前述の方法で擦ったときのシューという音と同音の絃がチェンバロのなかに二本あるのに気づきました。音の高さはさまざまですが、それらのうち二本は正確に完全五度だけ離れていたのです。擦ることでできたそれぞれの縞の間隔を測定すると、一方が四五本含んでいる距離に他方は三〇本含んでいることがわかりました。これは五度音程に割り当てられた〔比の〕形式そのものです。しかし先に進む前に、音を高くする三つの方法のうち、あなたが絃の細さに帰したものは、より正確には重さに帰されるべきだということにあなたの注意を促しておきましょう。なぜなら、絃が同一の物質からできていれば、重さに起因する変化のほうに〔二乗の比が〕対応しているのです。だから一方のガットがオクターブの音を出すには他方のガットより四倍太くなければならず、真鍮の絃も他方の真鍮の絃より四倍太くなければなりません。しかし、真鍮の絃でガットのオクターブを得たいのであれば、四倍太くするのではなく、四倍重くすることによってです。なぜなら、この金属は太さに関しては四倍でなくても、重さでは四倍になるのです。ときには真鍮が高音のほうのオクターブに対応するガットよりも細いということがあります。だから、一方のチェンバロに金の絃を、他方に真鍮の絃を張り、それらが同一の長さ、太さ、張力であるとすると、金は二倍ほどの重さがありますから、ほぼ五分の一低い調律になります。ここで、他の人びとがまず考えそうなこととは反対に、運動の速さに抵抗するのは可動体の太さではなく、重さであるということに注意すべきです。媒質は重くて細い可動体によってよりも太くて軽い可動体によって切り開かれるときのほうが抵抗して速さを遅くするはずだと理性的には思われがちですが、この場合にはまったく逆のことが起こるのです。ところで最初の目的に戻って、音程の比は絃の長さ、張力、太さから直接的に引き出されるのではなく、わたしたちの耳の鼓膜に衝突する空気の波が同一時間内に震える振動と衝撃の数の比に根拠があると言いましょう。これが確定すれば、音の高さは違っていても、それらの音のある組み合わせがわたしたちの感覚にとても快く、他はそれほどではなく、またあるものはとても不愉快とさせることがあるのはどうしてかという適切な理由を与えてくれるかもしれません。このことが、完全であれ不完全であれ協和音の、さらに不協和音の原因となっています。わたしが信じるに、後者の不愉快さはわたしたちの鼓膜を不均衡に打つ二つの異なる音の不調和から生じ、振動のテンポが通約できない場合の不協和音はとても耳ざわりになるでしょう。そのひとつが、同度の二本の絃を、一方の長さが他方の長さに対してもつ比が正方形の一辺がその対角線に対してもつ比になるようにして奏でるときのもので、このような不協和音が三全音とか短三度です。快い協和音というのは、鼓膜を順序よく打つ音の組み合わせであって、何よりも同一時間内に加えられる衝撃の回数が通約できることが必要です。鼓膜の軟骨が対立し続ける打撃に屈服してしまい、二つの異なるやり方で曲げられて絶え間ない苦痛を被らないようにするためです。したがって、基本のもっとも心地よい協和音はオクターブであって、低いほうの絃が鼓膜に衝撃を与えるごとに、高いほうの絃が二回衝撃を与えれば、二回に一回は高いほうの絃の振動と一致して打撃を加えることになり、このために全衝撃の半数が一致してたたくことになるからです。しかし、同度の絃が打つ音はすべていつも同時に届き、まるで一本の絃のようで、これは協和音ではありません。五度音程も快いものですが、低いほうの絃が二回振動するあいだに高いほうの絃が三回振動することを考えると、高いほうの絃の振動数全体の三分の一が同時に振動することになります。つまり、一致するひと組のあいだに孤立した二回が介在するのです。四度音程の場合は、九回振動するあいだに一回だけ低いほうの絃の振動といっしょに打つことになるのです。これら以外のすべては不協和音で、鼓膜に不快感を与え、聴覚によって調子外れだと判断されます。

**シンプリチョ**　この議論をもっとわかりやすく説明していただきたいのですが。

**サルヴィアティ**　線分ＡＢを低いほうの絃の一振動の拡がり、線分ＣＤを他方のオクターブになっている高いほうの絃の一振動の拡がりとしましょう。ＡＢを中央のＥで分割し、絃が端ＡとＣで動き始めると、高音の振動が端Ｄに達したとき、他方は中央のＥまでしか達していないことが明らかです。ここは運動の終点ではないので衝撃を与えることはなく、Ｄで一撃を加えることになります。その後、振動がＤからＣに戻ってくると、他方はＥからＢに移動します。だから、ＢとＣにおける二つの打撃は鼓膜をいっしょにたたくことになります。同様の振動は次々と繰り返されますから、

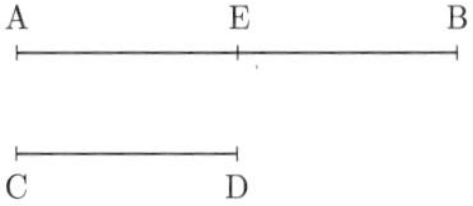


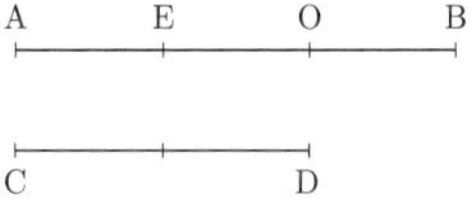


ＣとＤの振動は交互にひとつおきにＡとＢの振動と連携して衝撃を加えることになります。しかし、これらの端の拍動はつねにＣとＤのどちらかの振動といっしょで、つねに一体です。ＡとＣが同時に打撃を与えると仮定すると、ＡがＢに移動し、ＣがＤまで行ってＣに戻ると、その結果ＣはＢといっしょに打撃を与えることになるので、このことは明らかです。さらに、ＢはＡに戻り、Ｃ

はDを通過してCに戻りますから、AとCの打撃は同時ということになります。ところで、二つの振動ABとCDは五度音程を生み出し、それらのテンポは三対二の比であるとしましょう。低いほうの絃ABをEとOで三等分し、振動が端のAとCから同時に始まると考えましょう。端Dに衝撃が達したとき、ABの振動はOにしか届いていないのは明らかです。したがって、鼓膜はDでの衝撃しか受け取りません。その後DからCに戻ると、他方の振動はOからBを通過してOに戻ります。Bでは単独で、あと打ちリズムの拍動を伝えています(これは考慮すべき出来事です)。わたしたちは最初の拍動が端A、Cで同時に起こったと仮定しましたから、端Dだけで起こる第二の拍動はCD、つまりAOの移動時間が経過したのちです。しかし、次のBでの拍動はこの時間の半分、OBの通過時間だけ他方から離れています。さらに続けてOからAに戻り、その間にCからDまで行くと、AとDで二つの拍動がいっしょに起こります。さらに、これと同じ時間内に、つまり高いほうの絃の他から離れて孤立した二回の拍動に挟まれて、低いほうの絃の、これも孤立して高いほうの絃の孤立した二回の拍動のあいだに挟まれた拍動が一回続きます。したがって、わたしたちが時間を瞬間に、つまり最小の等しい微小部分に分割したと想像し、AとCにおいて同時に拍動が生じてから二つの時間の微小部分でOとDに移動し、Dにおいて打撃を与えると仮定すると、第三と第四の微小時間後にDからCに戻ってCにおいて打撃を与え、OからはBを通過してOに戻って、Bにおいて打撃を与え、最終的には第五と第六の微小時間のあとにはOとCからAとDに移動し、どちらにも打撃を与えます。鼓膜に拍動が届く順序は、二本の絃の拍動が同時であるとすると、二つの微小時間後に孤立した拍動を一回受け取り、第三の微小時間後にもうひとつの孤立した拍動を受け取り、第四の微小時間後にさらにもうひとつの孤立した拍動を受け取り、その二つの微小時間後に、つまり第六の微小時間後に結合した二つの拍動を同時に受け取るということになります。これで、いわば変則的な循環が終わり、この循環は何度もこれを繰り返すことになります。

**サグレド**　もう黙っているわけにはいきません。わたしが長らく闇に閉ざされ無知のままだった現象の原因をとても適切に与えてくれたことに大声で喜びを表わさなければなりません。これで、なぜ同度が単音とまったく違わないのかがわかりました。なぜオクターブが基本協和音なのかもわかりました。オクターブは同度に非常に似ていて、同度と同じように他の協和音と相性がよく、調和します。同度に似ているというのは、同度の絃の拍動はすべてがいつも同時に打撃を加えるのに対して、オクターブの低いほうの絃の拍動は、すべてが高いほうの拍動といっしょになるからです。高いほうの拍動のひとつが孤立して等しい時間間隔で、何のいたずらをすることもなく挟まっていますが、この結果、この協和音は甘ったるくなりすぎ、活気に欠けます。しかし、五度音程にはあと打ちリズムが伴い、つまり結びついた二つの拍動の組み合わせのあいだに、高いほうの絃の孤立した二つの拍動と低いほうの孤立したひとつの拍動が挟まれています。これら三つは、組み合わさった拍動の各組と高いほうの絃の孤立した拍動との時間間隔の半分に等しい間隔で分けられています。このことが鼓膜の軟骨に軽いくすぐりとくすぐったい感じを生じさせ、その結果、刺戟的な香りを撒き散らすことによって甘美さを和らげ、快い口づけと甘嚙みの印象を同時に与えています。

**サルヴィアティ**　あなたはこれを初めて聞いて、とても気に入ったようですね。聴覚だけでなく、どのようにして眼も聞くのと同じように楽曲を楽しむことができるのかを説明しましょう。同じように重い鉛の球を異なる長さの三本の糸で吊り下げ、もっとも長いものが二回振動するあいだに、もっとも短いものが四回振動し、中間のものが三回振動するようにします。これは、もっとも長いほうを一六パルモ、これ以外の尺度でもかまいませんが、中間のほうを九、もっとも短いほうを四パルモにすれば実現できるでしょう。すべてを鉛直にしておき、次に動かすと、それらの糸がさまざまにすれ違って、興味深い揺れ方をするのが見られるでしょう。しかし、もっとも長いものが四回目の振動を終えるごとに、三つすべてが一致して同じ終点に到達し、その後にそこから離れていき、改めて同じことを繰り返すのです。この振動の混じり合いは、絃によってであれば、オクターブに五度音程が混じって聴覚に届くものです。もし同じような配置にしておいて糸の長さを調節すれば、それらの振動は他の調和した音程に合致するでしょう。その他多くの組み合わせも、すべての糸は(三本であろうと四本であろうと)一定時間の一定数の振動後の同じ瞬間にそれらの振動の終点に達するのがつねに見られるでしょう。しかし、二本あるいはそれ以上の糸の振動が通約できない場合は、一定数の振動を終えて一致して戻ることはないでしょう。もし通約できるとしても、長時間たって多数回振動したあとに戻るのであれば、眼は不規則な組み合わせの無秩序さに当惑させられます。聴覚も、秩序も規則性もなく鼓膜を打つ空気の震えの節度のない刺戟をうっとうしく感じます。

しかし皆さん、わたしたちはさまざまな問題や思いがけない論議によって長時間かかってどこに運ばれてきたのでしょうか。もう夜になってしまいました。提案された論題についてはほとんど、あるいはまったく触れていません。それどころか道に迷ってしまい、前置きしたことも、これからの証明のための仮説や原理となるちょっとした糸口を思い出すのもひと苦労です。

**サグレド**　それでは、きょうのところはわたしたちの対話を終えることにしましょう。夜は穏やかに過ごして頭脳を休ませ、明日になって（あなたがよければ）期待していた主目的である論議に戻ることにしましょう。

**サルヴィアティ**　あなた方のお役に立ち、あなた方に満足してもらうため、きょうと同じ時間に必ずここに来ることにしましょう。

第一日　終わり

**訳　注**（第一日）

（1）アリストテレス『自然学』第四巻第八章、215a.24–216a.26. アリストテレスは可動体の移動時間は媒質の疎密に比例するとしているから、真空中の運動は瞬間的ということになる。彼は真空の存在を否定するためにこの議論を持ち出している。

（2）『自然学』第五巻第一章、225a.25–26.

（3）ジョヴァンニ・ディ・グェヴァラ（一五六一—一六四一年）はテアーノの司教。彼の考察は一六二七年に出版された『アリストテレス機械学注解』にある。

（4）ルカ・ヴァレリオ（一五五二—一六一八年）は一五九〇年にピサでガリレオと出会い、その後に文通相手となった。ここで挙げられている書物は一六〇三年に出版された。

（5）すでに一六三二年に出版された『天文対話』の第三日の欄外注に、「直線と無限な円の周とは同じものである」とある（OG, vol. 7, p. 404）。

（6）ボナヴェントゥラ・カヴァリエリ（一五九八—一六四七年）が一六三二年に出版した『燃焼鏡、あるいは円錐の断面についての論考』のことである。

（7）この光速測定の試みについては、一六二三年の『偽金鑑識官』で述べられている（OG, vol. 6, p. 352）。

（8）ヨハネス・デ・サクロボスコ（一二世紀末—一二五六年頃）は一三世紀の著名な天文学者で、彼の『天球論』は注釈が付けられて繰り返し出版された。ガリレオが読んだのは、イエズス会士の天文学者クリストファ・クラヴィウスが注釈を付けて一五八一年に出版した『ヨハネス・デ・サクロボスコ天球論注解』である。

（9）訳注1参照。

（10）マスケット銃の弾丸が砲弾の重さの半分もあるとは考えられないから、「半リブラの重さ」の意で、「リブラ」が抜け落ちているのだろう。

（11）インペトゥス(impetus)は、中世の運動論において用いられてきた概念で、物体に込められた力を意味し、物体はインペトゥスによって動かされ、それが消費し尽くされるまで動き続ける。しかし、本書の第四日では「運動のインペトゥスまたはモメントゥム」という言い方もしているから、運動の原因となるものというだけでなく、その結果としての、現代の物理学で言う「力」に近い概念にもなっている。

（12）モメントゥム(momentum. 英語ではmoment)は、静力学では、梃子の場合には腕に吊るされた錘の下方への傾向であって、梃子の支点から吊り下げ点までの距離と重さ(質量)との積で表わされる。しかし、ガリレオはこれを動力学へと拡張し、重さと速さを組み合わせた運動への傾向としている。現代の運動量の概念に近いが、彼は「速さのモメントゥム」や「速さの度合い、あるいはモメントゥム」という表現もしている。

（13）アリストテレス『天界について』第四巻第四章、311b.10–12. なお、「すべての元素には」のあとに、ガリレオは所有していた『新科学論議』に「火を除いて」と挿入している。

（14）アリストテレス『問題集』第一九巻。

(15) この関係は、ガリレオの父で音楽家のヴィンチェンツィオ・ガリレイ(一五二〇―九一年)によって発見された。

# 第二日

**サグレド**　シンプリチョさんといっしょにあなたが来られるのを待っていました。そのあいだに、あなたがわたしたちに示そうとした結論のための原理と仮定として取り上げた以前の考察を思い出していました。それはあらゆる固体を破壊せずにはおかない抵抗力に関するもので、その諸部分を結びつけて合体させている接着剤に依存しており、そのために強力な引っ張りなくしては折れることも分離することもないのです。さらに、いくつかの物体においてはとても強いこのような凝集の原因がどのようなものかということを探究していました。提案された主たる原因は真空であるということでした。これがきっかけとなって脱線してしまい、それにわたしたちを一日中没頭させることになって、いま話した砕かれることに対する固体の抵抗力の考察という目的としていた主たる論題から遠ざけたのです。

**サルヴィアティ**　すべてよく覚えています。話を最初に戻すと、強制的な牽引力によって砕かれることに対する固体の抵抗力は、それが何であれ、固体のなかにあるということは疑い得ません。その抵抗力は、それをまっすぐに引っ張ろうとする人の力に対しては最大ですが、横方向の強制的な力にはずっと小さいということがわかっています。たとえば鋼鉄やガラスの棒は縦方向に一〇〇〇リブラの重さを支えるが、壁に直角に差し込んでおくと、五〇リブラを吊るしただけで折れてしまうのを見かけます。形、長さ、太さが同じであっても異なっていても、同一の素材からできた角柱や円柱にどのような比率が見つかるのかを研究するためには、この二番目の抵抗力について話さなければなりません。これを考察するに当たって、よく知られた原理として、わたしたちが梃子と呼んでいる竿の性質について機械学において証明されていることを取り上げることにしましょう。つまり梃子を使用する場合、力は抵抗力に対して支点からその力までの距離と抵抗力までの距離との比に反比例します。

**シンプリチョ**　これはアリストテレスによって『機械学の諸問題』のなかで誰よりも先に証明されました(1)。

**サルヴィアティ**　彼に先取権を譲るとしても、証明の確かさではアルキメデスのほうがはるかに先行しているように思えます。彼の『平面板の平衡について』のなかで証明されたたったひとつの命題に、梃子だけでなく他の機械的装置の大部分の理論が依存しているのです(2)。

**サグレド**　この原理が、あなたがわたしたちに証明してみせようとしているすべての基礎となるのでしたら、あまり長く時間がかからないのであれば、前提となるものの論証もわたしたちに教えてくれるのが適切ではないでしょうか。それで、完全で適切な教育ということになります。

**サルヴィアティ**　そうするのなら、これから考察する全分野についてはアルキメデスとは少し異なる方向から着手したほうがよいでしょう。腕の長さが等しい天秤に等しい重さを付ければ釣り合う（アルキメデス自身によっても仮定されている原理です）ということ以外には何も仮定せず、等しくない重さであっても、腕の長さがそれらの重さに反比例して異なる竿秤に吊るされると釣り合い、等しい重さを等しい距離に置いても、等しくない重さをそれらの重さに反比例する距離に置いても同じことになるというのが同様に真実であるということを証明することにします。

話したことをはっきり証明するため、固体の角柱または円柱ＡＢを描きましょう。それは線分ＩＨの両端から吊り下げられ、糸ＨＡ、ＩＢで支えられています。もしわたしが天秤ＩＨの中央に付けられた糸Ｃによって全体を吊り下げたとすると、その重さの半分は支点Ｃの一方に、他の半分は他方にあるのですから、あなたが仮定した原

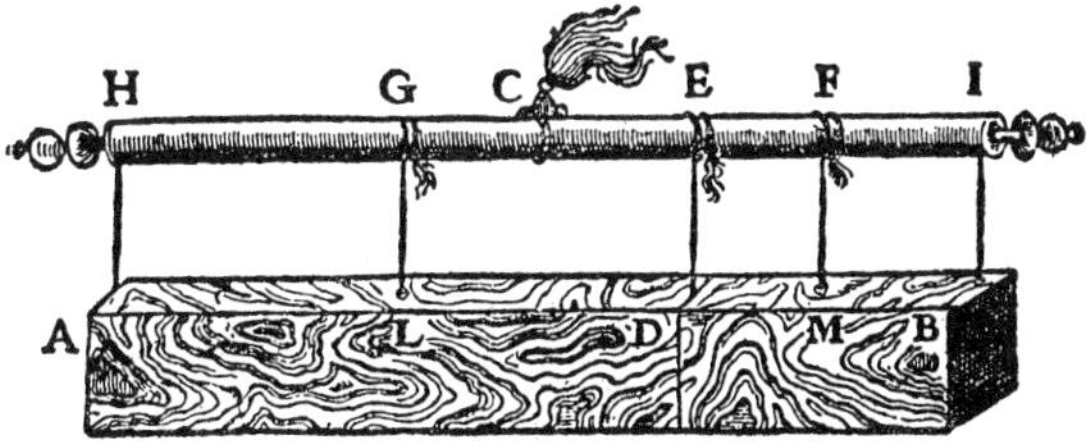


理によって角柱ＡＢは釣り合ったままでしょう。今度は角柱が線分Ｄを通る平面によって等しくない部分、大きい部分ＤＡと小さい部分ＤＢに分割されたと考えましょう。この分割を終えたら、角柱の各部分が線分ＩＨに関してそのままの位置と配置を保つように、点Ｅに留められた糸ＥＤで援助して角柱の部分ＡＤとＤＢを支えましょう。天秤ＨＩに関して角柱はまったく位置的な変化をしておらず、同じように釣り合っているのは疑いようがありません。しかし、糸ＡＨ、ＤＥで両端を支えられている角柱の部分をその中央に付けられた一本の糸ＧＬで吊るしても、同じ配置のままでしょう。他の部分ＤＢはその中央を糸ＦＭで吊るして支えても、変化しないのは明らかでしょう。そこで、糸ＨＡ、ＥＤ、ＩＢを取り除き、二本の糸ＧＬ、ＦＭだけを残しても、点Ｃから吊り下げられたままであれば、釣り合いを保つでしょう。ここで考え方を変えて、二つの重い物体ＡＤ、ＤＢが天秤ＧＦの両端

GとFから吊るされて点Cで釣り合っており、重い物体ADの吊り下げ点から点Cまでの距離はCGで、他方の重い物体DBがぶら下がっている点からの距離はCFであるとしましょう。したがって残されているのは、これらの距離の比がそれらの重さの比に反比例していること、つまり、距離GC対CFが角柱DB対角柱DAになると証明することだけです。これを次のように証明しましょう。線分GEはEHの半分、EFはEIの半分ですから、GF全体はHI全体の半分で、CIに等しいでしょう。共通の部分CFを取り去ると、残ったGCは残ったFI、つまりFEに等しいでしょう。どちらにもCEを加えると、GEとCFの二つは等しいでしょう。だからGE対EFはFC対CGですが、GE対EFはそれらの二倍対二倍、HE対EIつまり角柱AD対角柱DBです。したがって、この比を逆にして、距離GC対距離CFは重さBD対重さDAです。これが証明しようとしていたことです。

ここまでわかれば、あなた方は角柱ADとDBが点Cで釣り合っているということを難なく認めると信じます。だから、立体ABの半分が支点Cの右側に、他の半分が左側にあることになり、二つの等しい距離のところに配置されて伸びている二つの等しい重さに相当するのです。さらに、これら二つの角柱ADとDBが二つの立方体ま

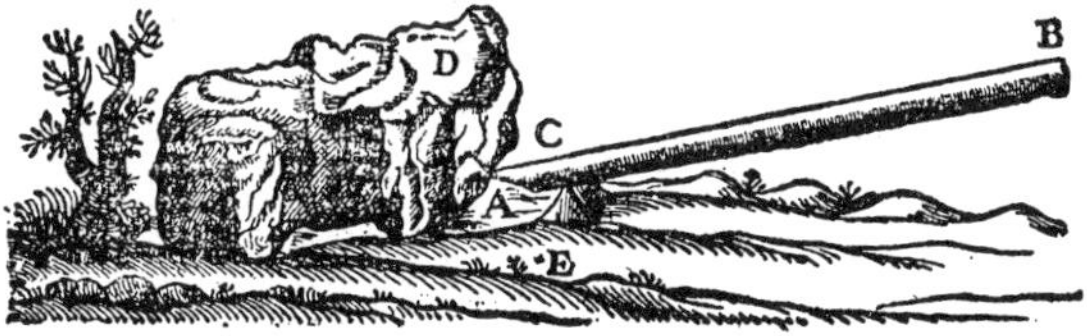


たは二つの球、あるいは何か別の二つのものに置き換えられたと想像しても(同じ吊り下げ点G、Fのままであれば)点Cで釣り合いを保ち続けるということを誰も疑わないと信じます。なぜなら、同じ物質量のままであれば、形によって重さは変わらないということはあまりにも明らかではありませんか。ここから、何であれ二つの重さは、それらの重さに反比例する距離のところで釣り合うという一般的な結論が得られます。

したがって、この原理を確定しておき、先に進む前に、これらの力、抵抗力、モメントゥム、形状等々は抽象的には物質から切り離して考察でき、現実的には物質と結びつけて考察することもできるということを指摘しておかねばなりません。後者の考え方では、非物質的なものとして考えられた図形にふさわしい属性は、物質で満たすと、何らかの変化を、結果的には重さを受け取るでしょう。たとえば、梃子BAを考えましょう。それは支点Eに置かれ、重い石Dを持ち上げようとしています。証明された原理によって、端Bにおける力は、そのモメントゥムがDにおけるモメントゥムに対して距離ACが距離CBに対してもつのと同じ比をもてば、重い物体Dの抵抗力と充分に釣り合うということが明らかです。このことは、あたかも梃子そのものは非物質的で、重量がないかのように、Bにおける力のモメントゥムとDにおける抵抗力のモメントゥム以外のモメントゥムを考慮しなければ、真実です。しかし、梃子は木であったり鉄であったりするのですが、それ自体の重量も考慮すれば、Bにおける力に梃子の重さが付け加わって比率が変えられ、別の言いまわしをしなければならないのは明らかです。だから先に進む前に、これら二つの考え方の区別に同意しておく必要があります。器具を抽象的に、つまり物質自体の重さから切り離して考える場合には、それを「絶対的に解釈して」と呼ぶことにしましょう。しかし、物質を欠いた単なる図形に重さが結びつけば、この物質で満たされた図形を「モメントゥムあるいは複合的な力」と名付けることにしましょう。

**サグレド**　本題から逸れるきっかけを与えないという決意を放棄せざるを得ないようです。しかし、わたしに芽生えた疑念が解消されなければ、これからのことに注意を向けることはできないでしょう。あなたはBにおける力を石Dの重さのすべてと比較しているように思われますが、その重さは石の一部分であって、それは地面に置かれているのですから、もっと重いと思われます。ですから……

**サルヴィアティ**　よくわかりました。それ以上言わないでください。わたしは石の重さのすべてを指したのではなく、それが梃子BAの末端である点Aに置かれて行使しているモメントゥムについて話したのです。それは石の全重量よりもつねに小さく、石の形に応じて、それが大きく持ち上げられているかどうかに応じて変わります。

**サグレド**　よくわかりました。しかし、別の要望が出てきました。石の全重量のうち地面に支えられているのはどれほどで、端Aで棒に重圧を加えているのはどれほどか、理解を完全なものとするために、もしあるのなら、それを調べる方法を示してくれませんか。

**サルヴィアティ**　ちょっと話すだけで満足していただけますから、求めに応じることにしましょう。それでは小さな図を描いて、重心がAにある重い物体の重さがその端のBで地面に支えられており、他端は支点がNにあって、Gに力が加えられている棒CGで支えられていると考えてください。中心Aと端Cから鉛直線AOとCFを降ろします。つまり、重さ全体のモメントゥムがGにおける力のモメントゥムに対して

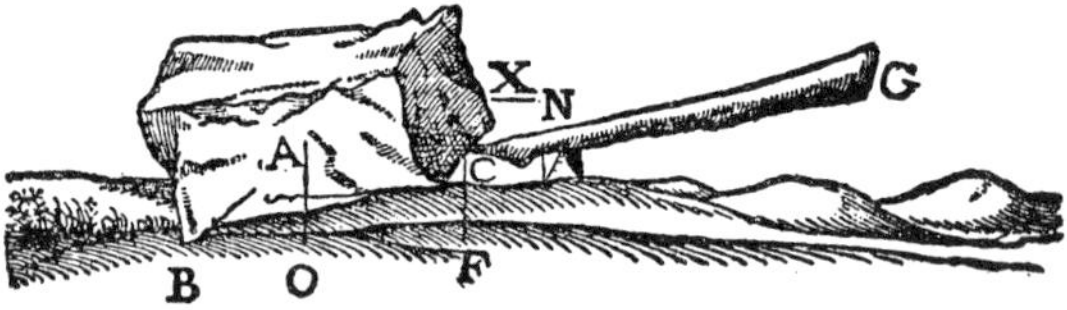


もつ比は、距離GN対距離NCの比とFB対BOの比との複比になります。〔線分Xを引いて〕NC対XがFB対BOになるようにしましょう。全体の重さAはBとCに加えられた力で支えられていますから、力B対Cは距離FO対BOです。これらを合成すると、力BとCを合わせたもの、つまり重さAの全モメントゥム対Cにおける力は線分FB対BOであり、NC対Xになります。しかし、Cにおける力のモメントゥム対Gにおける力のモメントゥムは距離GN対距離NCであって、それゆえに、これらを整理すると、全重量A対Gにおける力のモメントゥムはGN対Xです。しかしGN対Xの比は、GN対NCの比とNC対Xの比との複比であり、FB対BOの比です。それゆえに、重さAがGにおいてそれを支えている力に対してもつ比は、GNがNCに対してもつ比とFBがBOに対してもつ比との複比です。これが証明しなければならないことでした。ここでわたしたちの最初の命題に戻ることにして、これまでに説明されたことをすべて理解していれば、次の理由を理解するのは困難で

はないでしょう。

命題一

ガラス、鋼鉄、木、その他の壊れやすい物質でできた角柱または円柱は、非常に重いものが長さ方向に結びつけられて吊るされても支えることができるが、横方向には(少し前に述べたように)、その長さがその太さを超えていくと、もっと小さい重さによって折れることがある。

ＡＢの部分が壁に固定された立体の角柱ＡＢＣＤを想像してみましょう。他端には錘Ｅの力がかかっているとします(つねに壁は地平線に直立しており、角柱または円柱は壁に直角になっています)。それが折られることになれば、支点となっている壁の切り口のＢのところで折れるのは明らかです。ＢＣが力のかかっている梃子の一方の腕で、立体ＢＡの太さが梃子の他方の腕で、そこには、壁の外側にある部分ＢＤと内側にある部分のあいだにあるはずの引き剝がされることに対する抵抗力が働いています。説明されたことから、Ｃにおける力のモメントゥムは、角柱の太さ、つまり底面ＢＡを

その隣接部分と結びつけている抵抗力のモメントゥムに対して、長さCBがBAの半分に対してもつのと同じ比をもちます。だから、角柱BDのなかにある折られることに対する絶対的抵抗力（絶対的抵抗力というのはまっすぐに引っ張られることによって生じるものであって、この場合には動かしているものの運動と動かされているものの運動は同じである）は梃子BCの働きによって折られることに対して、長さBCが角柱のABの半分に対してもつ比をもちます。これは、円柱の場合はその底面の半径です。これが、わたしたちの最初の命題です。立体BD自体の重さを考慮せずに、その立体がまったく重くないかのように話していると理解されるべきだということに気をつけてください。しかし、その重さを錘Eと合わせて計算した

いのであれば、立体BDの重さの半分を付け加えねばなりません。したがって、たとえばBDの重さが二リブラで、Eの重さが一〇リブラであれば、錘Eは一一リブラであるかのように解釈しなければなりません。

**シンプリチョ**　どうして一二ではないのですか。

**サルヴィアティ**　シンプリチョさん、錘Eは端Cにぶら下げられているから、一〇リブラの全モメントゥムで梃子BCに力を加えているのです。そこにBDが吊るされていれば、二リブラのモメントゥムすべての重みがかかっているでしょう。しかし見てわかるように、この立体は長さBDの全体にわたって一様に配分されています。そのために端Bに近い部分は遠い部分よりもわずかしか重みをかけていないのです。要するに、近い部分を遠い部分で補って、角柱全体の重さは梃子BCの中央にある重心のところで働くことになるのです。しかし、端Cからぶら下がった錘は中央にぶら下げられたときよりも二倍のモメントゥムをもっています。だから、どちらも端Cに置かれているとしてモメントゥムを取り扱うのであれば、角柱の重さの半分を錘Eに付け加えねばなりません。

**シンプリチョ**　納得しました。さらに、わたしが間違っていなければ、そのように置かれたBDとEの二つの重さの能力は、BDの重さのすべてとEの二倍の重さが梃子BCの中央に吊るされているときのモメントゥムと同じようですね。

**サルヴィアティ**　そのとおりです。これは覚えておかなくてはなりません。これで、次のことはすぐに理解できます。

命題二

幅が厚さよりも大きい棒、むしろ角柱は、その幅の方向に力が加えられたときには、その厚さ方向に力が加えられたときよりもどれほど大きく、どのような比率で破壊されることに抵抗するか。

これを理解するため、定規adを想像し、その幅をac、それよりもずっと小さい厚さをcbとしましょう。最初の〔左の〕図のように、狭い側の断面で破壊しようとすると大きな錘Tに耐えるのに、第二の〔右の〕図のように、平らに置かれていると、TよりもXに耐えられないのはなぜかということが問題です。このことは次のことを理解すれば明らかです。最初の場合に支点は線分bc上にあり、第二の場合には

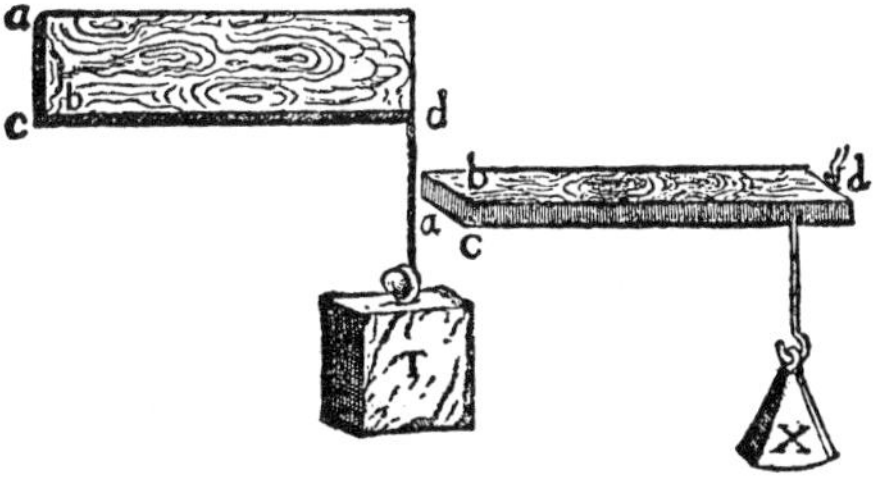


ｃａ上にあり、力の加えられる距離はどちらも同じ、つまりｂｄですが、最初の場合の支点から抵抗力までの距離は線分ｃａの半分で、第二の場合のｂｃの半分の距離よりも大きいのです。だから、大きい錘Ｔの力は錘Ｘの力よりも、幅ｃａの半分と厚さｂｃの半分との比で大きいのです。前者のｃａと後者のｃｂは同じ抵抗力に打ち勝つ梃子の一方の腕の役割を果たしていて、底面ａｂの全体には〔同じ〕繊維量があるからです。その結果、厚みよりも幅の大きい同じ定規または角柱は、平らに置かれるよりも狭い側の断面を下にしたほうが、幅と厚さとの比で破壊されることに対する抵抗力が大きいと結論できます。

　ここで、次のことを調べることにしましょう。

命題三

水平に置かれた角柱または円柱が伸ばされていくと、破壊されることに対するそ

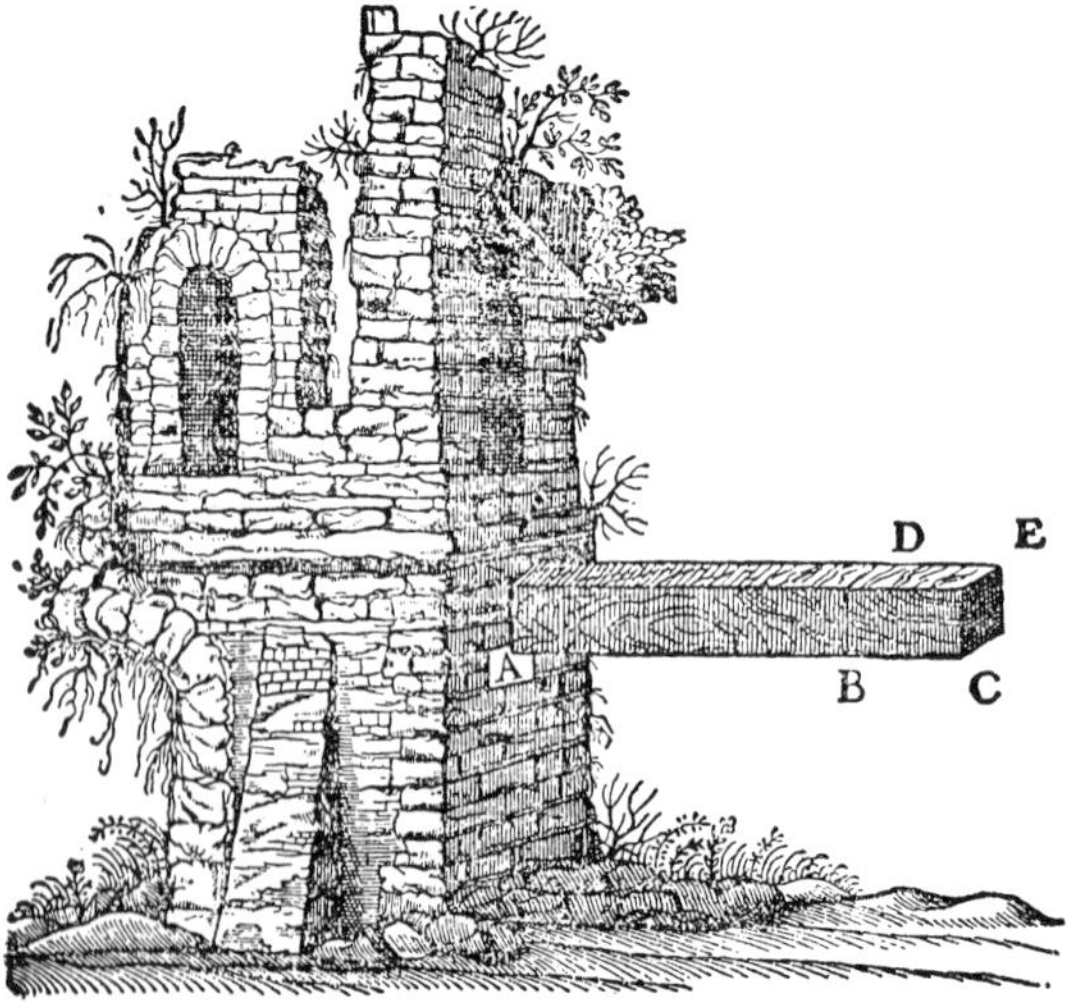


れ自体の抵抗力と関連して、それ自体の重さのモメントゥムがどのような比率で増していくか。このモメントゥムは、長さの二乗の比で増していくことがわかる。

これを証明するため、角柱または円柱をADとし、端Aで壁にしっかりと差し込まれており、水平になっているとしましょう。それに部分BEが付け加わって、Eまで伸ばされたとします。梃子ABがCまで伸ばされたことで、Aにおいて引きはがされて折られることを防ごうとする抵抗力に対する押し下げようとする力のモメントゥムが増加することは明らかです。この増加は、それ自体としては、つまり絶対的に解釈すれば、CA対BAの比になります。しかし、これ以外にも立体ABの重さに立体BEの重さが付け加わって、押し下げようとする重さのモメントゥムは角柱AE対角柱ABの比で増加します。この重さのモメントゥムの比は、長さAC対ABの比と同じです。それゆえ、長さと重量の二つの増加が結びついて、その双方から構成されるモメントゥムはこれらのどちらか一方の二乗の比になることが明らかです。したがって、太さは同じで、長さが異なる角柱と円柱の力のモメントゥムは、互いにそれらの長さの比の二乗の比をもつ、つまり長さの二乗に比例すると結論できます。

ここからは二番目として、角柱と円柱は長さが同じままで太さが大きくなると、折られることに対する抵抗力がどのような比率で増加するかを示すことにします。次のように言いましょう。

命題四

長さは等しいが太さの異なる角柱と円柱の破壊されることに対する抵抗力はそれ

らの太さの、つまり底面の直径の三乗の比で増加する。

二本の円柱をA、Bとしましょう。それらの長さDG、FHは相等しく、直径CD、EFの円形の底面は異なっています。破壊されることに対する円柱Bの抵抗力が円柱Aの抵抗力に対してもつ比は、直径FEが直径DCに対してもつ比の三乗になると言いましょう。ですから、長さ方向に引っ張ろうとする力が働くことによって引きちぎられることに対する底面、つまり円EF、DCの絶対的で単純な抵抗力を考えましょう。円柱Bの抵抗力は円柱Aのそれよりも、円EF〔の面積〕が円CDに対してもつ比で大きいことは疑いえません。固体の諸部分を結合させている繊維あるいは粘着力のある要素がそれだけ多いからです。しかし、力が横方向に働く場合、わたしたちは二つの梃子を用いているということに留意しなければなりません。その腕、あるいは力が加えられる場所からの距離は線分DG、FHで、支点は点D、Fにありますが、他方の腕、あるいは抵抗力が働く場所からの距離は円D

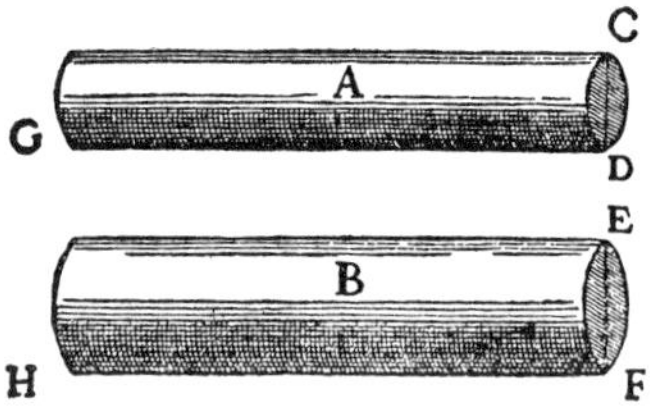

C、EFの半径です。なぜなら、円の表面全体に散らばっている繊維は、すべてがそれらの中心に集まっているかのようですから。つまり、このような梃子について考えると、Hにおける力に対する底面EFの中心の抵抗力は、Gに加わる力に対する底面CDの抵抗力よりも〔それぞれDG、FHが相等しい梃子のGとHにおける力に対して〕FEの半径がDCの半径に対してもつ比で大きいということがわかります。したがって、円柱Bの破壊されることに対する抵抗力は円柱Aの抵抗力よりも、円EFとDCの比とそれらの半径の比との、直径の比とのと言っても構いませんが、双方の比で大きいのです。しかし、円の比は直径の比の二乗ですから、それらを組み合わせた抵抗の比は、同じ直径の比の三乗です。これが証明しなければならなかったことです。しかし、立方体はそれらの辺の三乗に比例しますから同じように結論することができ、等しい長さの円柱の抵抗力は互いにそれらの直径の立方に比例することになります。

証明されたことから、次のように結論することもできます。

系

同じ長さの角柱と円柱の抵抗力はその円柱の〔体積の〕二分の三乗に比例する。

これは、以下のことから明らかです。同じ高さの角柱と円柱は互いにそれらの底面、つまり底面の辺または直径の二乗と同じ比になりますが、抵抗力は(すでに証明されたように)同じ辺または直径の三乗に比例しますから、抵抗力の比はその立体の〔体積の〕、したがって重さの比の二分の三乗になります。

**シンプリチョ**　さらに先に進む前に、わたしの難問を解いておく必要があります。それは、立体を伸ばしていくと、横方向に対してだけでなく、長さ方向に対しても減っていくように思われるある種の抵抗力をこれまで考慮してこなかったということです。とても長いロープが短いものに比べて大きい錘を支えることができないことがあるのが、まさにこれなのです。ですから、短い木または鉄の棒は、横方向にではなく、つねに長さ方向に使われるとして、長いほど大きくなるそれ自体の重さを考慮すれば、とても長いものよりも重いものを支えることができると信じるのです。

**サルヴィアティ**　シンプリチョさん、わたしがあなたの考えていることを正しく理解しているとすれば、あなたは他の多くの場合と同様に、ここでも間違っているのではないでしょうか。あなたは、たとえば四〇ブラッチョの長いロープは一、二ブラッチョの同じロープほど大きい錘を支えられないと言いたいようですから。

**シンプリチョ**　それを言いたかったのです。この提案は大いにありうることだと思えるのです。

**サルヴィアティ**　わたしには、それは間違っていて、あり得ないと思います。また、その誤りを容易に取り除くことができると信じます。このロープをABとしましょう。それは先端のAで上方に固定され、他端にはこのロープを切断するに充分な力をもつ錘Cがあります。シンプリチョさん、どこで切断するか、正確な場所を指定してください。

**シンプリチョ**　Dのところです。

**サルヴィアティ**　あなたに尋ねますが、Dでひきちぎられる理由は何ですか。

**シンプリチョ**　その原因は、ロープはその箇所でDBの部分と石Cの、たとえば一〇〇リブラを支えることができなくなるからです。

**サルヴィアティ**　それでは、このようなロープはDの部分に同じ一〇〇リブラの重さで力を加えられるときにはいつもひきち

ぎられてしまうわけですね。

**シンプリチョ**　そう信じます。

**サルヴィアティ**　それでは答えてください。同じ錘をロープの端のBにではなく、点Dの近く、たとえばEに結びつけたとすると、あるいはロープを高さAのところにではなく、同じ点Dにもっと近い上のほうで、たとえばFで結んだとすると、点Dは同じ一〇〇リブラの重さを受けないでしょうか。

**シンプリチョ**　石Cにロープのの部分を加えていれば、受けるでしょう。

**サルヴィアティ**　それでは、ロープが点Dで同じ一〇〇リブラの重さによって引っ張られたとすると、あなたの認めたところによれば、切れるでしょう。FEは長さABの小部分であるにもかかわらず、どうして長いロープは短いロープよりも弱いと言えるのでしょうか。だから、あなたが多くのお仲間と同じように、また多くの賢明な人びとさえもっている誤りをどうか捨て去って、先に進みましょう。角柱と円柱は(同じ太さのままであれば)、それ自体の抵抗力に対するモメントゥムをそれらの長さの二乗に比例して増すということを証明しましたし、同様に、長さが等しく、太さが異なるものはその抵抗力を底面の辺あるいは直径の立方に比例して増すということも証明しましたから、長さと太さのどちらも異なる立体に起こることを研究することにしましょう。これについては、次のように指摘しましょう。

命題五
長さと太さが異なる角柱と円柱の破壊されることに対する抵抗力は、それらの底面の直径の立方に比例し、それらの長さに反比例する。

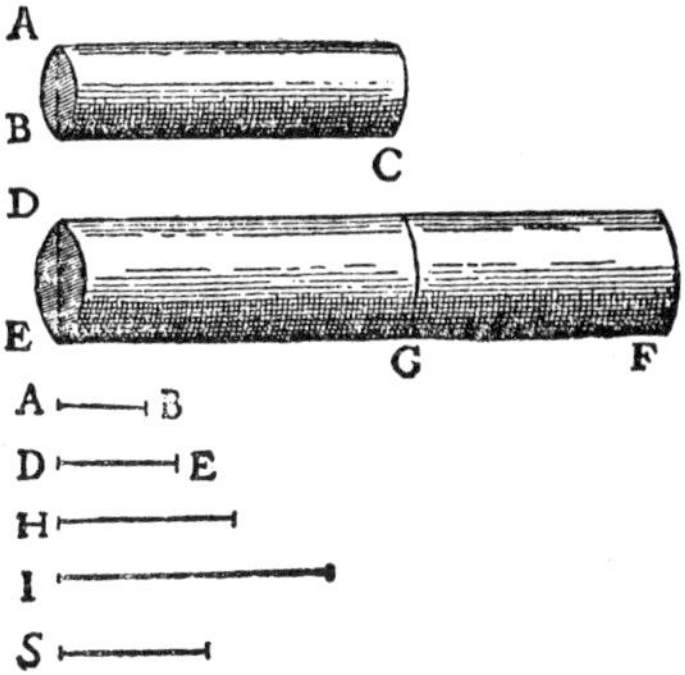


この二つの円柱をＡＢＣ、ＤＥＦとしましょう。円柱ＡＣの抵抗力が円柱ＤＦの抵抗力に対してもつ比は、直径ＡＢの立方が直径ＤＥの立方に対してもつ比と長さＥＦが長さＢＣに対してもつ比との複比であるということです。ＥＧをＢＣに等しくとり、Ｈを線分ＡＢ、ＤＥの第三比例項、Ｉを第四比例項とし、ＥＦ対ＢＣをＩ対Ｓとしましょ

う。円柱ＡＣの抵抗力対円柱ＤＧの抵抗力はＡＢの立方対ＤＥの立方、つまり線分ＡＢ対線分Ｉで、円柱ＤＧの抵抗力対円柱ＤＦの抵抗力は長さＦＥ対ＥＧ、つまり線分Ｉ対Ｓですから、円柱ＡＣの抵抗力対円柱ＤＦの抵抗力は線分ＡＢ対Ｓです。しかし、線分ＡＢがＳに対してもつ比は、ＡＢがＩに対してもつ比とＩがＳに対してもつ比との複比です。それゆえ、円柱ＡＣの抵抗力が円柱ＤＦの抵抗力に対してもつ比は、ＡＢがＩに対してもつ比、つまりＡＢの立方がＤＥの立方に対してもつ比と線分ＩがＳに対してもつ比、つまり長さＥＦが長さＢＣに対してもつ比との複比です。これが証明しようとしていたことです。

この命題の証明に続いて、相似の円柱と角柱では何が起こるかを考えてみましょう。これについては、次のように証明しましょう。

命題六

相似の円柱と角柱の、重さに起因するモメントゥムと、梃子と同じように長さに起因するモメントゥムから合成されたモメントゥムは、相互にそれらの底面の抵抗力の二分の三乗の比をもつ。

これを証明するため、二つの相似の円柱ＡＢ、ＣＤを描きましょう。その底面Ｂの抵抗力に打ち勝つために必要な円柱ＡＢのモメントゥムがＤの抵抗力に打ち勝つために必要なＣＤのモメントゥムに対してもつ比は、底面Ｂの同じ抵抗力が底面Ｄの抵抗力に対してもつ比の二分の三乗ということです。底面Ｂ、Ｄの抵抗力に打ち勝つために必要な立体ＡＢ、ＣＤのモメントゥムはそれらの重量と梃子の力から構成されており、梃子ＡＢの力と梃子ＣＤの力は等しいのですから（なぜなら、長さＡＢが底面Ｂの半径に対してもつ比は、円柱が相似ですから、長さＣＤが底面Ｄの半径に対してもつ比と同じです）、円柱ＡＢの全モメントゥム対ＣＤの全モメントゥムは円柱ＡＢの重さ対円柱ＣＤの重さ、つまり円柱ＡＢそのもの対ＣＤそのものです。しかし、これらはそれらの底面Ｂ、Ｄの直径の三乗の比です。同じ底面の抵抗力は互いにその底面に比例するので、結果としてそれらの直径の二乗に比例します。それゆえ、円柱のモメントゥムはそれらの底面の抵抗力の二分の三乗の比になります。

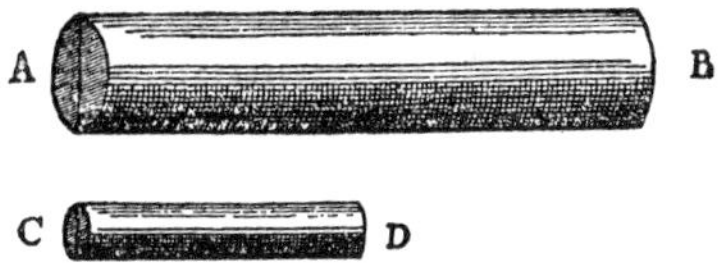

**シンプリチョ**　この命題は初めて聞いただけでなく、予期しなかったものです。最初は、わたしが推測していた結論からはるかに遠いと思われました。そのような図形はすべての点で相似なのですから、それらのモメントゥムはそれら自体の抵抗力に対しても同じ比率を保っていると確信していたのです。

**サグレド**　これが、わたしたちの議論の最初にわたしがぼんやりとそうではないかと話した命題の証明ですね。

**サルヴィアティ**　いまシンプリチョさんに生じたことはわたしにもあって、ある観察が、それは確実でも厳密でもないのですが、相似の立体は同じ強靭さを維持するのではなく、大きいものほど強制的な抵抗力に耐えることができないことを示していると思えるまでは、相似の立体の抵抗力は同じようなものだと信じていたのです。たとえば、大人が落ちると子供よりも大怪我をします。また最初のところで話したように、大きい梁とか柱は高いところから落とされると粉々になるのが見られますが、小さい水平梁や小さい大理石の円柱は同じ高さから落とされてもそうはなりません。このような観察がここで証明したこと、つまり本当に驚くべき特性を探求しようという気にさせたのです。無数にある互いに相似の立体図形のどの二つとして、それら自体の抵抗力に対するそれらのモメントゥムが同じ比率をもつものはないのですから。

**シンプリチョ**　あなたの話で、アリストテレスが彼の『機械学の諸問題』のなかで提示したことに腑に落ちないものがあったことを思い出しました。彼は、木材は短いものが薄く、長いものが厚いとしても、長くなるにつれて弱くなって折れやすくなることがあるのはなぜかという理由を明らかにしようとしています。わたしが正確に記憶しているとすれば、彼はその理由を単純な梃子に求めています(3)。

**サルヴィアティ**　そのとおりです。その解答は疑いの余地をすっかり取り去っているようには思えなかったので、実に博学な注釈でこの著作をとても気高く明解なものにしたグェヴァラ師はすべての難点を解消するためにもっと鋭い思索を加えて拡張したのです(4)。しかし、このような立体図形の長さと厚さが同じ比率で増していけば、折られたり曲げられたりすることに対する強靭さと抵抗力において同一のままかどうかという点では、彼もあいまいだったのです。わたしはこの問題を熟考した結果、これからあなたに示そうとしていることを見つけたのです。まず、次のことを証明しましょう。

命題七

相似の重い角柱または円柱のなかで(それ自体の重さによって)折られるか、そのまかのあいだの究極的状態にあるものがひとつだけある。したがって、それより重いものはすべてそれ自体の重さに耐えられずに折られ、小さいものはすべてそれを破壊しようとする力にある程度は抵抗する。

重い角柱をＡＢとし、維持可能な最大長であるとします。したがって、少しでも長くされると破壊されてしまいます。これがすべての相似のもの(これは無数にありますす)のなかで唯一のもので、境目の状態にあるということです。したがって、これより大きいものはすべてそれ自体の重さが加わって折れてしまい、小さいものはすべて折れることなく、新たな強制力が加わってもある程度は耐えることができます。まず、ＡＢよりも大きいが相似の角柱をＣＥとしましょう。これは維持し得ず、それ自体の重さに圧倒されて折れてしまいます。部分ＣＤはＡＢと同じ長さとしましょう。ＣＤの抵抗力対ＡＢの抵抗力は、ＣＤの太さの立方対ＡＢの太さの立方、つまり(相似だから)角柱ＣＥ対角柱ＡＢで、それゆえにＣＥの重さは角柱ＣＤの長さで支えうる最大のものです。しかし、CEの長さはそれより大きく、したがって角柱CEは破壊されます。ところで、FGをより小さいとしましょう。同様に(FHをBAに等しいとして)、距離AB、つまりFHがFGに等しい場合には、FGの抵抗力対ABの抵抗力は、角柱FG対角柱ABであると証明できるでしょう。しかし、それよりも大きいのですから、角柱FGのGにおけるモメントゥムは角柱FGを破壊するには不足しています。

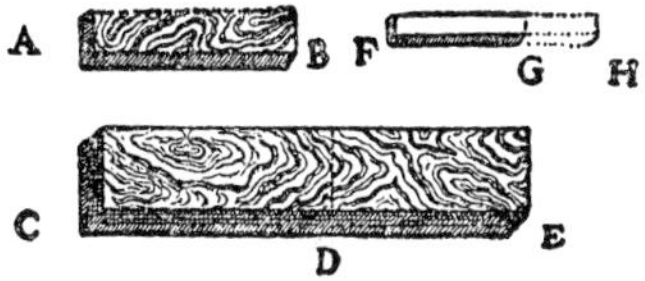


**サグレド**　とても明解で簡潔な証明です。一見してありそうもないと思われた命題が真実で必然的であると結論づけられました。したがって、支えられるか折られるかの境目に置くには、太くするか短くするかして、より大きい角柱〔CE〕の長さと太さとの比率を変える必要があるでしょう。このような状態の探求は同じくらいの巧妙さが必要だと思います。

**サルヴィアティ**　簡単どころか、もっと骨が折れますよ。それを見つけるのに短時間では済まなかったのです。ここで、それをあなた方と分かち合うことにしましょう。

命題八

それ自体の重さによって折れることのない最大長の円柱または角柱があり、それよりも長い円柱または角柱が与えられたとき、この与えられた長さでそれ自体の重さに耐えうる唯一で最大の円柱または角柱の太さを見いだすこと。

それ自体の重さに耐えうる最大の円柱をBCとし、DEはACよりも長いとしましょう。それ自体の重さに耐えうる最大の長さDEの円柱の太さを見いだすことが求められています。Iを長さDEとACの第三比例項と〔DE対ACがAC対Iとなるように〕しましょう。直径FD対直径BAがDE対Iになるように、円柱FEを描きましょう。これが相似の円柱すべてのなかで、それ自体の重さに耐えうる最大で唯一のものというわけです。線分DEとIの第三比例項をMとし、第四比例項をOとして、FGをACに等しくしましょう。直径FD対直径ABは線分DE対Iで、OはDEとIの第四比例項ですから、FDの立方対BAの立方はDE対Oです。しかし、FDの立方対BAの立方は円柱DGの抵抗力対円柱BCの抵抗力です。それゆえ、円柱DGの

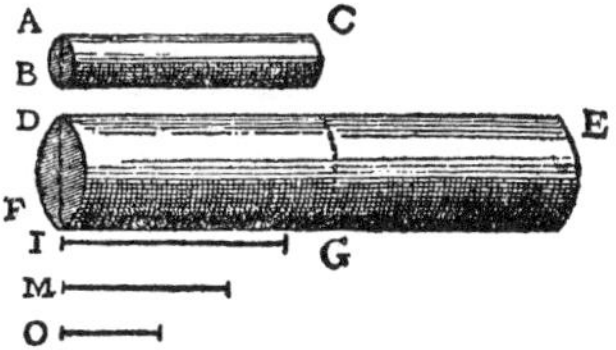


抵抗力対円柱ＢＣの抵抗力は線分ＤＥ対Ｏです。円柱ＢＣのモメントゥムはその抵抗力に等しいのですから、円柱ＦＥのモメントゥム対円柱ＢＣのモメントゥムがＤＦの抵抗力対ＢＡの抵抗力である、つまりＦＤの立方対ＢＡの立方であり、線分ＤＥ対Ｏであると証明できれば、目的としていたもの、つまり円柱ＦＥのモメントゥムはＦＤの抵抗力に等しいということが得られます。円柱ＦＥのモメントゥム対円柱ＤＧのモメントゥムはＤＥの平方対ＡＣの平方、つまり線分ＤＥ対Ｉです。しかし、円柱ＤＧのモメントゥム対円柱ＢＣのモメントゥムはＤＦの平方対ＢＡの平方、つまりＤＥの平方対Ｉの平方であり、Ｉの平方対Ｍの平方で、Ｉ対Ｏです。それゆえ、等間隔比ですから、円柱ＦＥのモメントゥム対円柱ＢＣのモメントゥムは線分ＤＥ対Ｏ、つまりＤＦの立方対ＢＡの立方であり、底面ＤＦの抵抗力対底面ＢＡの抵抗力です。これが求めようとしていたものです。

**サグレド**　サルヴィアティさん、これは長い証明で、一度聞いただけでは記憶にとどめておくのがとても困難です。ですから、どうかもう一度繰り返していただけませんか。

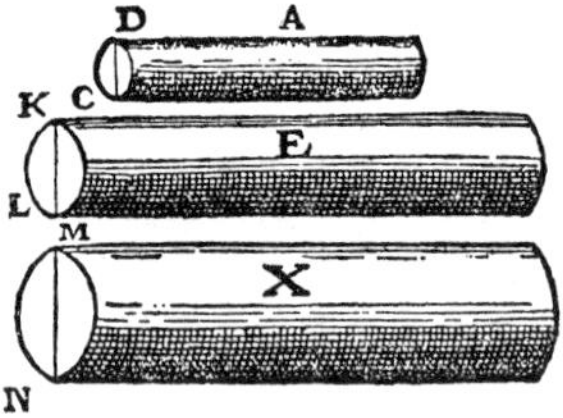


**サルヴィアティ**　あなたの求めに応じましょう。しかし、もっと手っ取り早く短いものにしましょう。ただし、少し違う図が必要です[5]。

**サグレド**　そのほうが助かります。気軽に復習できるように、すでに説明されたことを書いていただきたいのですが。

**サルヴィアティ**　お役に立つことにしましょう。円柱Ａがあるとしましょう。その底面の直径は線分ＤＣで、Ａが自らを支えうる最大のものであるとします。わたしたちが見つけようとしているのは、これよりも大きいけれども自らを支えうる最大で唯一の円柱です。Ａと相似で、割り当てられた線分の長さの円柱があるとし、これをたとえばＥとしましょう。その底面の直径はＫＬで、円柱Ｘの底面の直径であるＭＮは二本の線分ＤＣ、ＫＬの第三比例項です。このＸが求めているものです。ＤＣの抵抗力対ＫＬの抵抗力はＤＣの平方対ＫＬの平方、つまりＫＬの平方対ＭＮの平方であり、円柱Ｅ対円柱Ｘ、つまりＥのモメントゥム対Ｘのモメントゥムですが、ＫＬの抵抗力対ＭＮの抵抗力はＫＬの立方対ＭＮの立方、つまりＤＣの立方対ＫＬの立方であり、円柱Ａ対円柱Ｅ、つまりAのモメントゥム対Eのモメントゥムですから、それゆえに、乱比例になっているため、DCの抵抗力対MNの抵抗力はAのモメントゥム対Xのモメントゥムとなり、それゆえに角柱Xのモメントゥムと抵抗力は角柱Aと同じ構成になります。

しかし、この問題をもっと一般化することにして、それを命題としましょう。

〔命題九〕

円柱ACが与えられ、その抵抗力に対するそのモメントゥムがどれほどであろうと、さらに長さDEの別の円柱が与えられたとき、円柱ACのモメントゥムがそれ〔の抵抗力〕に対するのと同じ比をもつ長さDEの円柱の太さと、その抵抗力に対するそのモメントゥムを見いだすこと。

前と同じ図に戻り、ほとんど同じ手順で次のように言いましょう。円柱FEのモメントゥムが部分DGのモメントゥムに対してもつ比はEDの平方がFG〔AC〕の平方に対してもつ比、つまり線分DEがIに対してもつ比と同じで、円柱FGのモメントゥムが円柱ACのモメントゥムに対してもつ比はFDの平方がABの平方に対してもつ比、つまりＤＥの平方がＩの平方に対してもつ比と同じで、Ｉの平方がＭの平方に対してもつ比、つまり線分ＩがＯに対してもつ比と同じですから、それゆえに、比が同じことから円柱ＦＥのモメントゥムが円柱ＡＣのモメントゥムに対してもつ比は線分ＤＥがＯに対してもつ比、つまりＤＥの立方がＩの立方に対してもつ比と同じで、ＦＤの立方がＡＢの立方に対してもつ比、つまり底面ＦＤの抵抗力が底面ＡＢの抵抗力に対してもつ比と同じです。これがなさねばならなかったことです。

ところで、これまでに証明されたことから、人工によってであれ、自然そのものによってであれ、構造物を無限に大きくすることは不可能であるということがはっきりわかります。したがって、巨大な船、宮殿、神殿を造って、オール、帆桁、骨組み、鉄の鎖、要するにすべての部分が頑強でいられるようにすることはできないのです。自然は途方もなく大きな木を創ることができないのと同じことです。それ自体の重さで枝が折れてしまうでしょうから。同様に、人間、馬、その他の動物の骨格は、そのような動物が巨大な高さになっても存続し、それらの役割を適切に果たすように形作ることはできないでしょう。通常よりもはるかに硬く頑丈な素材にするか、骨格を不釣り合いなほど太くして不格好にし、動物の姿形を化け物のようにでっぷりとさせないかぎり不可能です。これはとても賢明な詩人がおそらく予告していたことで、大きな巨人について記述したときに、彼は次のように述べています。(6)

> なんという背の高さか、なぞらえることもできない。
> その大きさはあらゆる点で並外れている。

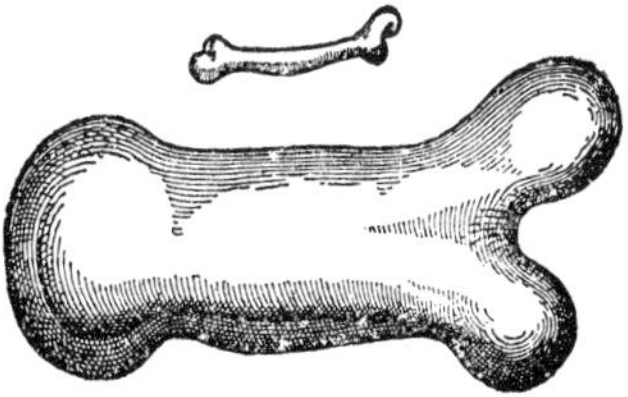

この話の簡単な例として、図を描いておきました。骨は三倍に引き伸ばされており、この大きい動物の骨がもっと小さい動物の小さい骨と同様の役割を果たせるような太さになっています。図はこれです。骨の太さが不釣り合いなほど拡大されているのがわかります。そこからは、とても大きな巨人の四肢を通常の人間と同じ比率にしようとすれば、骨をはるかに硬く頑丈な素材で作る必要があるのが明らかです。さもなければ、それが平均的な身長の人間に比べてはるかに壊れやすいと認めなければなりません。そうでもしないかぎり、途方もない身長に伸

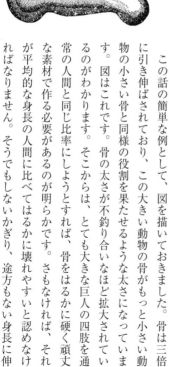

ばせば、自分の重さに圧迫されて倒れてしまうでしょう。反対に身体を小さくした場合、同じ比率で弱くなることはなく、それどころか小さくなっていくにつれて頑強になっていくことがわかります。だから、小さな犬は二、三匹の自分と同じような犬を背中に乗せることができると信じますが、馬は自分と同じような一頭の馬さえ乗せることができないと思います。

**シンプリチョ** しかし、魚には途方もない大きさのものがあるのが、それを疑わせる重大な理由になっています。わたしが耳にしたところでは、クジラは象の一〇倍も大きいそうですが、持ちこたえています。

**サルヴィアティ** シンプリチョさん、あなたの疑いで前もって話さなかった条件に気づきました。その条件のおかげで、巨人や他の大きい動物が小さい動物と同じように身体を維持し、動き回ることができるのです。それは、骨と他の諸部分にそれ自身の重さと突然加えられる重さを支えることができる頑強さが付け加えられたときです。それだけではなく、骨格が同じ比率だとしても、それに合わせてその骨の素材と、骨に支えられているに違いない肉その他を軽くすれば、もっと容易に身体を維持するでしょう。自然は魚の構造にこの第二の方策を利用して、それを骨と肉が軽いだけでなく、まったく重量がないかのように造っているのです。

**シンプリチョ**　サルヴィアティさん、あなたの論議がどこに向かっているかはよくわかります。あなたが言おうとしているのは、魚の住居は水の元素で、水は充実しているために、言い換えれば重いために、そのなかに沈められた物体の重量を減らし、この理由で魚の体には重さがなく、骨に負担をかけることなく支えられているということです。しかし、これでは不充分です。なぜなら、魚の体の残りの部分に重さがないとしても、骨の素材には間違いなく重さがあるのです。梁ほど大きいクジラの肋骨にはまったく重さがなく、水中で底に沈むことはないと誰が言うでしょうか。だから、その骨がその巨体を支えることができるはずはないのです。

**サルヴィアティ**　あなたは鋭い反論をしますね。あなたの疑問に答える代わりに、わたしに言ってもらいたいのですが、魚が底に沈むことも、水面に浮かび上がることもなく、泳いで力を使ったりせずに水中で気楽にじっとしているのを見たことがありますか。

**シンプリチョ**　これははっきり観察されていますよ。

**サルヴィアティ**　だから、魚が水中で動かないままでいられるということが、その体を構成しているものは水と同じ比重をもっているという決定的な証拠です。したがって、そこに水よりも重い部分があるとしても、釣り合いを保つために、水より軽い同量の部分が必然的になくてはなりません。だから、骨が水よりも重いのなら、肉その他の素材は軽くなくてはならず、それらの軽さが骨の重さに対抗しているのです。このようにして、水棲動物は地上の動物に起こることとは逆で、後者では骨がそれ自体の重さと肉の重さを支えなければならないのに、前者では肉がそれ自体の重さと骨の重さを支えているのです。だから、どうして水中には巨大な動物がいて、地上、つまり空気中にはいないのかと驚くことはないのです。

**シンプリチョ**　よくわかりました。これに加えて気づいたのですが、わたしたちは陸上の動物を空気中の動物と呼んだほうが適切です。それらは実際には空気中に住んでいて、空気に取り囲まれており、空気を呼吸しているのですから。

**サグレド**　シンプリチョさんの話には、彼の疑問とその解答のどちらも気に入りました。さらに、これらの途方もなく大きな魚の一匹が陸に引き上げられると、おそらく長くはもちこたえることができず、関節が緩んでしまい、その体が押しつぶされてしまうだろうということが容易にわかります。

**サルヴィアティ**　わたしもそのことを信じたくなりました。同じことが巨大な船にも起こると考えても的外れではありません。それが海に浮かんでいるときは商品や武器の積み荷の重さのために壊れることはありませんが、空気に取り囲まれて乾いているとおそらく裂けてしまうでしょう。それはそうとして、わたしたちの議論を続けて、次のことを証明することにしましょう。

〔命題一〇〕
一定の重さのある角柱または円柱と、それによって支えられる最大の錘が与えられれば、それ以上に引き伸ばされると、それ自体の重さだけで折れてしまう最大長を見いだすことができる。

それ自体の重さをもつ角柱ＡＣと、先端Ｃで支えることができる最大の錘Ｄが同様に与えられたとします。この角柱を破壊することなく伸ばすことができる最大長を見つけなければなりません。角柱ＡＣの重さがＡＣの重さとＤの重さの二倍とを合わせたものに対する比が、長さＣＡがＡＨに対する比に等しくなるようにしましょう。そ

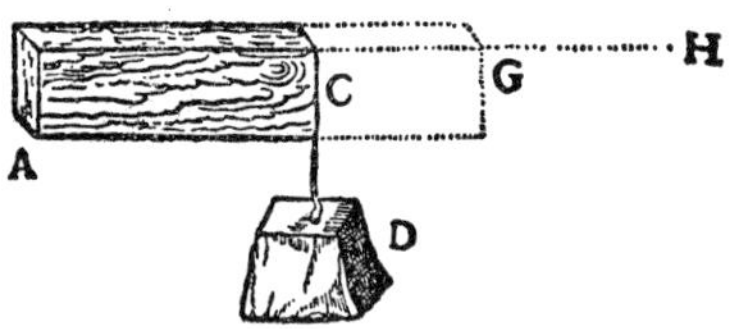


れらの比例中項がＡＧです。ＡＧが求めようとしている長さということになります。Ｃにおける錘Ｄの重さのモメントゥムは、角柱ＡＣのモメントゥムの中心であるＡＣの中央に置かれたＤの二倍の重さのモメントゥムに等しいですから、したがって、Ａにおける角柱ＡＣの抵抗力のモメントゥムは、ＡＣの中央に結びつけられたＤの重さの二倍にＡＣの重さを加えた荷重に相当します。実行しようとしているのは、前述のように設定された重さ、つまりＤの二倍にＡＣを加えたものがＡＣのモメントゥムに対してもつ比が、ＨＡがＡＧを比例中項とするＡＣに対する比になるということで、したがって、Ｄの二倍のモメントゥムにモメントゥムＡＣを加えたものがモメントゥムＡＣに対してもつ比はＧＡの平方がＡＣの平方に対する比となるということです。しかし、角柱ＧＡの下向きのモメントゥム対ＡＣのモメントゥムはＧＡの平方対ＡＣの平方です。それゆえ、長さＡＧが求めていた長さで、角柱ＡＣはここまで伸ばされても持ちこたえられますが、もっと伸ばされると折れてしまうでしょう。

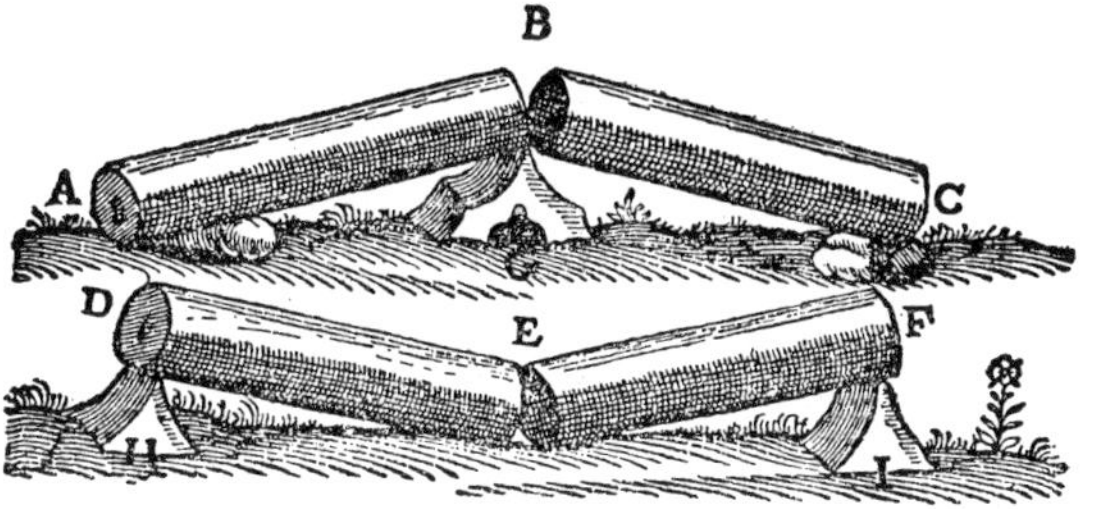


　ここまで、一端が固定されていて、他端だけに錘の力がかかっている固体の角柱と円柱のモメントゥムと抵抗力について考察してきました。その錘だけの場合、その固体の重量が加わった場合、その固体の重量だけの場合について考察したのです。今度は、同じ角柱と円柱が両端で支えられている場合、あるいは両端間にとられた一点の上に置かれている場合について論じたいと思います。まず、それ自体の重みがかかった円柱が、その中央または両端で支えられて、それ以上になると持ちこたえられない最大の長さにされると、壁に差し込まれて一端だけで支えられた円柱の二倍の長さになると言いましょう。これは非常に明らかです。なぜなら、ＡＢＣで示した円柱の半分ＡＢを端Ｂで固定された場合に持ちこたえうる最大長であると考えますと、支点Ｇの上に置かれた場合には他の半分ＢＣと釣り合って同じように持ちこたえる

でしょう。同様に、円柱ＤＥＦは、端Ｄで固定された場合にはその半分だけが持ちこたえることができ、したがって端Ｆが固定された場合には他方のＥＦが持ちこたえられうる長さであるとすると、両端Ｄ、Ｆの下に支点Ｈ、Ｉを置いた場合、Ｅに力あるいは重みが加わった瞬間に折れてしまうことは明らかです。

もっと入念な考察を必要とするのは、固体自体の重量を度外視して、両端で支えられた円柱の中央に加えられるとそれを折るのに充分な力あるいは重さが一端よりも他端に近い場所に加えられたとき、同じ効果を発揮するかどうかを調べるべきだと提案されたときです。たとえば、杖を中央で折ろうとして、手で両端をつかみ、中央に膝を押し付けたとすると、それを折るのに充分な力で中央ではなく端に近いところに膝を強く押し当てても折ることができるでしょうか。

**サグレド**　この問題は、アリストテレスが彼の『機械学の諸問題』で扱っていると思います[7]。

**サルヴィアティ**　アリストテレスの問いは正確にはこれと同じではありません。彼は、木の両端を、つまり膝から充分に離れたところを手でつかめば、手を近づけてつかんだときよりもそれを折るのが楽なのはなぜかという理由しか探求していないからです。彼は、腕を拡げて端を握ると梃子が長くなることに原因を帰して、一般的な理由を与えています。わたしたちの問いはこれに加えて、手で両端をつかんだままで膝を中央やその他の場所に当てても、どの場所においても同じ力で足りるかということを探求することです。

**サグレド**　ちょっと考えたところでは、そうだと思えます。二つの梃子は、一方が短くなれば他方はそれだけ長くなるので、確実に同一のモメントゥムを維持するのですから。

**サルヴィアティ**　どれほど勘違いしやすいか、過ちを犯さないためにはどれほど慎重で用心深くなければならないかを考えてください。あなたが話していることは一見してもっともらしいですが、厳密には間違っていて、二つの梃子の支点が中央にあるかないかで差があって、どこか中央以外の場所で分割することになれば、中央で分割するのに必要な力の四倍、一〇倍、一〇〇倍、一〇〇〇倍でも充分ではないときがあるのです。このことについて一般的に考察し、次に、分割に要する力がある点と他の点ではどのような比率で異なるのかを具体的に決定することにしましょう。

まず、支点Cの上の中央で破壊される木をABで示し、中央から離れた支点Fの上

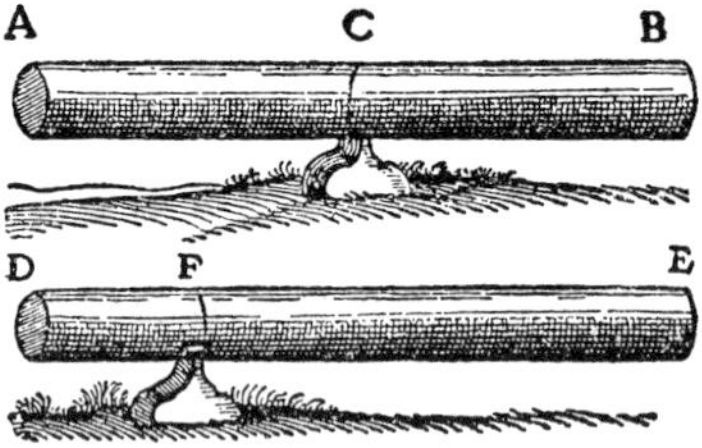


で破壊される同様の木を記号ＤＥで示しましょう。まず、距離ＡＣとＣＢは等しいので、力は端Ｂ、Ａに等しく配分されるということは明らかです。第二に、距離ＤＦは距離ＡＣより短いので、Ｄに加えられる力のモメントゥムはＡにおける、つまり距離ＣＡに加えられる〔力の〕モメントゥムよりも小さく、線分ＤＦ対ＡＣの比で減少し、したがって、Ｆの抵抗力と釣り合うか打ち勝つためには大きくする必要があるのです。しかし、距離ＤＦは距離ＡＣと比べて無限に減らすことができますから、それゆえにＤに加えられる力を無限に増やさねばならないのです。しかし逆に距離ＦＥをＣＢよりも大きくしていくと、Ｆにおける抵抗力と釣り合うＥにおける力は減っていくことになります。しかし、距離ＦＥは、支点Ｆを端Ｄのほうにずらしても、ＣＢと比べて無限に大きくすることも、二倍にすることさえできないのです。それゆえ、Ｆにおける抵抗力と釣り合うＥにおける力はＢにおける力の半分より大きいままでしょう。したがって、Ｆに加えられる抵抗力と釣り合うか打ち勝つためには、支点Ｆが端Ｄに近づくにつれて、

E、Dにおける力を合わせたモメントゥムを無限に大きくしていく必要があることがわかります。

**サグレド**　何と言ったらよいのでしょう、シンプリチョさん。幾何学の力は他のすべてにも増して才能を研ぎすまし、申し分なく論じ思索するための強力な手段であると告白しなければならないのでしょうか。プラトンは充分な根拠があって彼の弟子たちにまず数学に基礎を置くようにと命じたのではないでしょうか。わたしは梃子の機能についても、その長さが伸びたり縮んだりすると、その力と抵抗力のモメントゥムがどのように増えたり減ったりするのかもよく理解していました。そのすべてをもってさえ、この問題の確定には少しどころか限りなく間違っていたのです。

**シンプリチョ**　実際、論理学はわたしたちの論法を調整するためのもっとも優れた手段ですが、発見に覚醒させるということでは数学の鋭さに及ばないということがわかり始めました。

**サグレド**　わたしには、論理学はすでに見つけられている論法と証明が決定的なものかどうかを教えてくれると思われます。しかし、それが決定的な論法と証明の見つけ方を教えてくれるとはとても信じられません。ところでサルヴィアティさん、同じ木を折ろうとする場所が異なると、その抵抗力に打ち勝つために必要な力のモメントゥムはどのような比率で増していくのかをわたしたちに示してくれるとよいのですが。

**サルヴィアティ**　あなたが求めている比率は次のようになります。

〔命題一二〕

円柱を分割しようとする場所の二つに印を付けると、その二カ所における抵抗力は相互に〔両端からの〕距離を辺とする長方形の〔面積の〕比に反比例する。

Ｃにおいて破壊するのに必要とする最小の力をＡ、Ｂとし、同様にＤにおける最小の力をＥ、Ｆとしましょう。力ＡとＢ対力ＥとＦはＡＤとＤＢの長方形対ＡＣとＣＢの長方形になるということです。力ＡとＢは力ＥとＦに対して、力ＡとＢ対Ｂ、Ｂ対Ｆ、そしてＦ対ＦとＥの比を合成した比をもちます。しかし、力ＡとＢ対力Ｂは長さＢＡ対ＡＣで、力Ｂ対Ｆは線分ＤＢ対ＢＣで、力Ｆ対ＦとＥは線分ＤＡ対ＡＢで、それゆえ、力ＡとＢは力ＥとＦに対して次の三つの比、つまり、前述のＢＡ対ＡＣ、ＤＢ対ＢＣ、ＤＡ対ＡＢを合成した比をもちます。しかし、ＤＡ対ＡＣの比はＤＡ対Ａ

BとAB対ACの二つ〔の比〕から合成されていますから、それゆえ、力AとBは力EとFに対して、このDA対ACともうひとつのDB対BCとを合成した比をもちます。しかし、ADとDBの長方形はACとCBの長方形に対して、同じDA対ACとDB対BCとを合成した比をもちます。それゆえ、力AとB対EとFはADとDBの長方形対ACとCBの長方形になります。これが、Cにおいて折られることに対する抵抗力がDにおいて破壊されることに対する抵抗力に対してもつ比は、ADとDBの長方形がACとCBの長方形に対してもつ比と同じであるということです。これが証明すべきことでした。

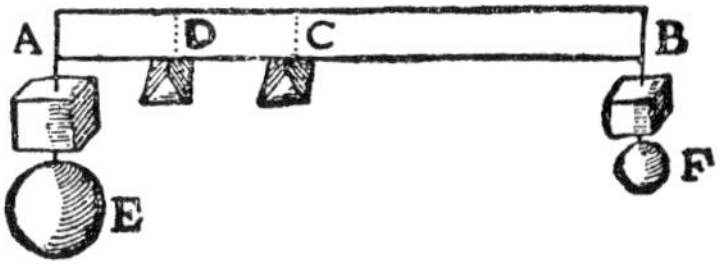


この定理の結果として、とても興味深い問題を解決することができます。それは次のものです。

〔命題一二〕

円柱と角柱の抵抗力が最小である中央で支えられる最大の重さが与えられ、さらにそれよりも大きい重さが与えられたとき、このより大きい重さを最大荷重として折られる点を前述の円柱上に見つけること。

円柱ＡＢの中央で支えられる最大の重さよりも大きい与えられた重さがその最大の重さに対して、線分Ｅ対Ｆの比をもつとしましょう。与えられた重さを支えることができる最大荷重とする円柱上の点を見つけることが求められています。二本のＥとＦのあいだの比例中項をＧとし、Ｅ対ＧがＡＤ対Ｓになるようにします。ＳはＡＤよりも短くなります。ＡＤを半円ＡＨＤの直径とし、ＡＨをＳに等しくとり、ＨＤを結びます。これと等しくＤＲを切り取ります。点Ｒが探し求めていたもので、円柱の中央Ｄで支えることができる最大の重さよりも大きい与えられた重さが、その点で支えることができる最大荷重となります。長さＢＡ上に半円ＡＮＢを描き、垂線ＲＮを立て、ＮＤを結びます。ＮＲとＲＤの二つの平方はＮＤの平方、つまりＡＤの平方、さらにＡＨとＨＤの二つの平方に等しく、ＨＤはＤＲに等しいのですから、それゆえ、ＮＲの平方、つまりＡＲとＲＢの長方形はＡＨの平方、つまりＳの平方に

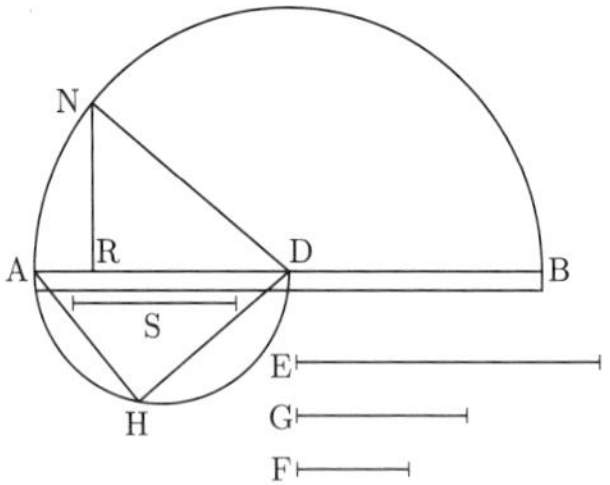

等しいでしょう。しかし、Ｓの平方対ＡＤの平方はＦ対Ｅ、つまりＤで支えることができる最大の重さ対より大きい与えられた重さです。それゆえ、このより大きい重さがＲで支えることができる最大荷重ということになります。これが探し求めていたものです。

**サグレド**　とてもよくわかりました。角柱ＡＢは中央から離れたところほど圧迫に対して頑丈で耐久力があるのですから、とても大きくて重い梁の端のほうの部分を大きく取り除いて、著しく軽くすることができると考えています。これは、大きい部屋の骨組みをするのに少なからず好都合で有益でしょう。そのどの部分においても同じように耐久力がある立体はどのような形であるべきかということが見つかれば、素晴らしいことでしょう。そうすれば、中央に重みを加えられると他のどの場所よりも容易に破壊されてしまうということはないでしょう。

**サルヴィアティ**　この問題について重要で素晴らしいことをあなたに話そうとしていたところでした。わたしの言っていることがよくわかるように、ちょっとした図を描きましょう。このＤＢが角柱で、端Ｂを押さえつける力によって折られることに対する端ＡＤの抵抗力はＣＩの場所で見いだされる抵抗力よりも、すでに証明されたよ

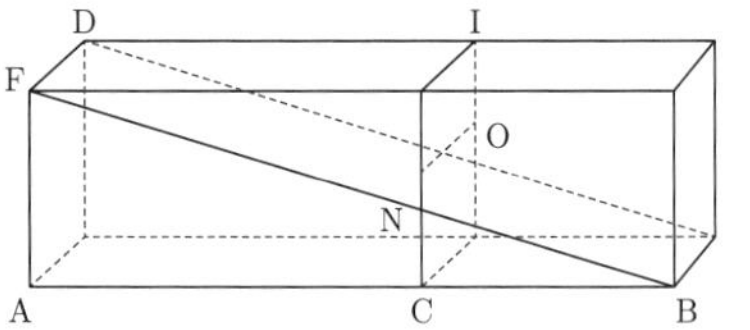


うに、長さCBとBAとの比で小さいのです。ここで、同じ角柱が線分FBに沿って対角線にノコギリで挽かれたとしますと、それによって向かい合った二つの三角形となり、その一方はこちらを向いたFABです。このような立体は角柱とは逆の性質をもっていて、Bに加えられた力によって折られることに対するAにおける抵抗力よりもCにおける抵抗力のほうが、長さCBとBAとの比で小さいのです。この証明は容易です。なぜなら、断面CNOはAFDと平行であることを考えると、三角形FAB内の線分FA対CNは線分AB対BCです。だから、点AとCが二つの梃子の支点であると理解すると、その腕となるBAとAF、BCとCNは比例関係になります。だから、Bに加えられた力がBAだけ離れた腕AFの抵抗力に加えるモメントゥムは、同じBの力がBCだけ離れた腕CNの同様の抵抗力に加えるモメントゥムと同じです。しかし、腕CNが支点CでBの力に打ち勝とうとする抵抗力はAにおける抵抗力よりも、長方形COと長方形ADとの比で小さいのです。つまり、線分CNはAFより短く、CBはBAより短いのです。それゆえ、Cにおいて

折られることに対する部分OCBの抵抗力はAにおいて折られることに対するDAB全体の抵抗力よりも、長さCBとABとの比で小さいのです。したがって、梁あるいは角柱の一部を取り除くと、つまり、ノコギリで対角線に挽いてくさび形あるいは三角柱にすることで半分にすると、正反対の状態になった二つの立体の一方は短くされるほど頑丈になり、他方は〔同方向に〕短くされると同程度に頑強さを失うのです。さて、このことを考慮すると、切断して余分なものを取り去っても、その諸部分がどこにおいても同じように頑丈な形の立体を残すことができるというのは理屈に合っており、当然とさえ思われます。

**シンプリチョ**　大きいものから小さいものへと移っていくと、同じものに出合うのは当然です。

**サグレド**　しかし、そこで問題となるのは、どこを通ってノコギリで切断するかを見つけることです。

**シンプリチョ**　これは、わたしにはとても簡単な作業だと思われます。角柱を対角線にノコギリで挽いて半分を取り除くと、残った形は角柱全体と正反対の性質をもち、したがって、その全長の一方では頑丈さを獲得し、他方ではそれを同程度に失うのですから、真ん中を採用して、つまり、全体の四分の一である半分の半分だけを取り除けば、二つの形の一方が失ったものと他方が獲得したものはいつも等しかったのですから、残った形はその全長にわたって頑丈さを獲得することも失うこともないと思うのです。

**サルヴィアティ**　シンプリチョさん、的外れですよ。わたしが証明するように、角柱をノコギリで挽いて、それを弱めることなく取り除くことができるのはその四分の一ではなく、三分の一ということが実際にわかります。さて〔サグレドさんがほのめかしたことですが〕残っているのは、ノコギリを進めるべき道筋を見つけることです。それはパラボラ〔放物線〕であるべきだということが証明されるでしょう。しかし、前もって次の補助定理を証明しておく必要があります。

〔補助定理〕
二つの天秤または梃子があり、力が加えられる二本の腕の長さが相互に抵抗力のある腕の長さの二乗の比になり、それらの抵抗力が相互にその腕の長さの比になるように支点で分割されていれば、耐えられる力は等しい。

二つの梃子ＡＢとＣＤがあり、距離ＥＢがＦＤに対してもつ比が距離ＥＡ対ＦＣの比の二乗になるように支点ＥとＦで分割されているとします。Ｂ、ＤでＡ、Ｃの抵抗力に耐える力は等しいということです。ＥＧをＥＢとＦＤとの比例中項とすると、ＢＥ対ＥＧはＧＥ対ＦＤであり、ＡＥ対ＣＦです。これはＡの抵抗力対Ｃの抵抗力（の比）と仮定したものです。ＥＧ対ＦＤはＡＥ対ＣＦですから、順序を換えるとＧＥ対ＥＡはＤＦ対ＦＣです。だから（二つの梃子ＤＣとＧＡは点ＦとＥにおいて同じ比率で分割されているため）、Ｄに加えられた力がＣの抵抗力と釣り合うとすると、その力がＧにあってもＡに加えられたＣと同じ抵抗力と釣り合うでしょう。しかし仮定したことから、Ａの抵抗力対Ｃの抵抗力はＡＥ対ＣＦ、つまりＢＥ対ＥＧです。それゆえ、力Ｇが、力Ｄと言うこともできますが、Ｂに加えられると、Ａにおける抵抗力に耐えられるでしょう。これが証明しなければならなかったことです。

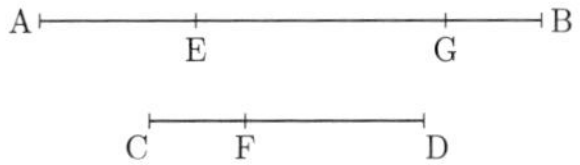


　これがわかれば、角柱ＤＢの面ＦＢを、頂点をＢとするパラボラ曲線ＦＮＢに沿ってノコギリで挽き、底面ＡＤ、長方形ＡＧ、直線ＢＧ、そして

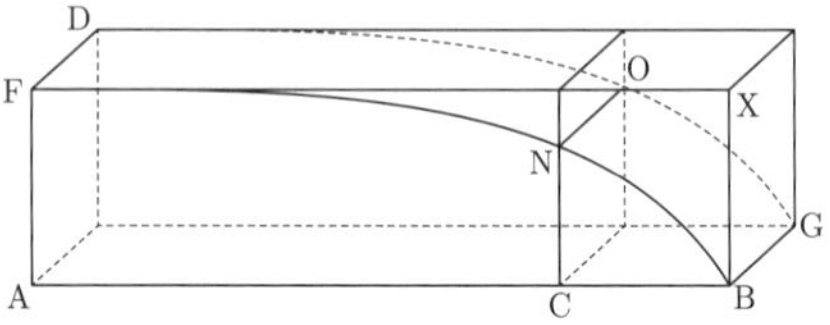


パラボラＦＮＢの曲線に沿って湾曲した面ＤＧＢＦで囲まれた立体を残しましょう。この立体はどこにおいても同じ抵抗力をもつことができるのです。ＡＤに平行に平面ＣＯをノコギリで挽き、支点ＡとＣの上に置かれた二つの梃子があると考えましょう。一方の梃子の腕はＢＡとＡＦ、他方はＢＣとＣＮです。パラボラＦＢＡ内のＡＢ対ＢＣはＦＡの平方対ＣＮの平方ですから、一方の梃子の腕の長さＢＡは他方のＢＣに対して、もうひとつの腕の長さＡＦ対他方のＣＮの二乗の比をもつことが明らかです。さらに、梃子ＢＡに釣り合う抵抗力が梃子ＢＣに釣り合う抵抗力に対してもつ比は、長方形ＤＡ対長方形ＯＣの比と同じで、これは二つの梃子のもうひとつの腕の長さである線分ＡＦ対ＮＣですから、先の補助定理により、線分ＢＧに加えられると抵抗力ＤＡと釣り合う力は抵抗力ＣＯとも釣り合うことが明らかです。同じことは、この立体をノコギリで挽いて異なる長さにしても証明されます。それゆえ、このようなパラボラの形をした立体はどこにおいても同じ抵抗力をもつのです。ところで、角柱をパラボラ曲線ＦＮＢに沿ってノコギリで

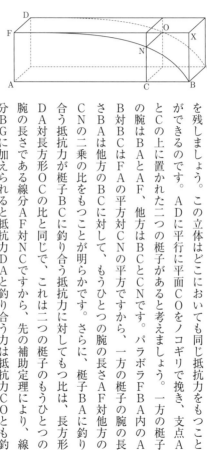

挽くと、その三分の一の部分が取り除かれるということも明らかになります。半パラボラＦＮＢＡと長方形ＦＢは平行になった二つの平面、つまり長方形ＦＢとＤＧに囲まれた二つの立体の底面ですから、それら相互の比はそれら底面の比と同じです。しかし、長方形ＦＢは半パラボラＦＮＢＡの二分の三です。それゆえ、角柱をパラボラ曲線に沿ってノコギリで挽くと、三分の一の部分が取り除かれます。これで、その強さを少しも減じることなく、どうすれば梁の重さを三三パーセント以上も減らすことができるのかがわかります。このことは、大きな船の場合、その構造の軽さがとても重要であるということを考えれば、とりわけ甲板を支えるのに少なくない利益があります。

**サグレド**　その利益は多くて、すべてを書き留めると長くなって、書ききれないほどです。それはさておき、あなたの決めた比率で軽くなるということのほうを理解したいです。対角線に沿って切断すると重さの半分が取り除かれるということはよくわかりますが、パラボラに沿うと角柱の三分の一が奪われるということについては、つねに真実を語っているサルヴィアティさんを信じますが、信仰よりも知識のほうがありがたいです。

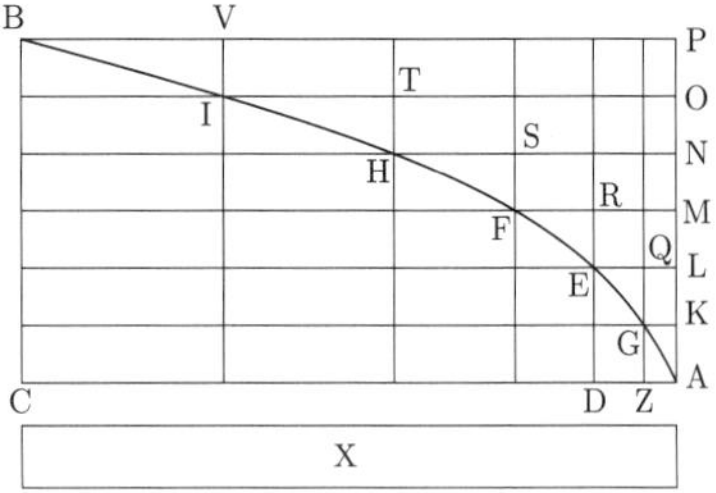


**サルヴィアティ**　それでは、わたしたちがパラボラ状の立体と呼んでいるものよりも角柱のほうがその全体の三分の一大きいのはなぜかという証明を望んでいるのですね。これは別のところで証明したことですよ。その証明をいっしょに思い出せるかどうかやってみましょう。そのためにアルキメデスの『螺線について』のなかにある補助定理を利用したと覚えています[8]。それは、もっとも短い線分とそれと等しい長さだけ次々と長くなっていく任意の数の線分があり、そのうちのもっとも長い線分の長さに等しい線分が同数あれば、後者のすべての平方〔の和〕は、次々と長くなっていく前者の平方〔の和〕の三倍よりも小さい。ただし、前者のもっとも長い線分の平方を除くと、残りの平方の三倍よりも大きいというものです。これを前提しておき、長方形ＡＣＢＰのなかにパラボラ曲線ＡＢを描きましょう。ＢＰとＰＡを辺とし、パラボラ曲線ＢＡを底辺とする複合三角形ＢＡＰが全体の長方形ＣＰの三分の一であると証明しなければなりません。それが正しくないとすると、三分の一よりも大きい

か小さいかです。仮に小さいとして、その不足分を面積Xとしましょう。次に、長方形CPを辺BP、CAに平行な線分で等分割していきますと、最終的に各部分は面積Xよりも小さくなるでしょう。そこで、それらのひとつを長方形OBとしましょう。これらの平行線がパラボラ曲線と交わる各点を通ってAPに平行線を引きましょう。ここで、この複合三角形のまわりに長方形BO、IN、HM、FL、EK、GAから構成された図形が外接していると考えましょう。この図形は、それが複合三角形を超過している部分は面積Xよりも小さい長方形BOよりもさらに小さいので、長方形CPの三分の一よりも小さいでしょう。

**サグレド**　どうかゆっくりお願いします。この外接した図形が複合三角形を超過している部分は、なぜ長方形BOよりもはるかに小さいのかがわからないのです。

**サルヴィアティ**　長方形BOはパラボラ曲線が通り抜けている小長方形のすべてと等しくないでしょうか。その一部分が複合三角形からはみ出しているBI、IH、HF、FE、EG、GAのことを言っているのですよ。さらに、長方形BOは面積Xよりも小さいと仮定されているのではないですか。それゆえ、三角形とXを合わせたものが長方形CPの三分の一に匹敵するではないかと反論する者がいたとしても、それでも同じ長方形CPの三分の一よりも相変わらず小さいままではないでしょうか。しかし、そのようなことはあり得ないのです。それは三分の一より大きいのですから。それゆえ、この複合三角形が長方形の三分の一より小さいというのは正しくないのです。

**サグレド**　わたしの疑問に対する解答を理解できました。しかし、外接する図形が長方形のCPの三分の一よりも大きいということを証明していただかねばなりません。これはもっと大変だと思います。

**サルヴィアティ**　それほど難しくないですよ。パラボラ内にある線分DEの平方がZGの平方に対してもつ比は、線分DAがAZに対してもつ比と同じで、これは(高さAKとKLが等しいので)長方形KEが長方形AGに対してもつ比です。それゆえ、EDの平方がZGの平方に対してもつ比、つまりLAの平方がAKの平方に対してもつ比は長方形KEが長方形KZに対してもつ比です。まったく同様にして、他の長方形LF、MH、NI、OBについても、相互に線分MA、NA、OA、PAの平方の比になっていることが証明されるでしょう。ここで、いくつかの面積から構成されている外接する図形について考えることにしましょう。これらの面積は相互にもっとも短い線分と等しい長さだけ増加していき、長方形CPはそれぞれがもっとも長い線分と等しい大きさの、すべてがOBに等しい長方形の面積から構成されています。それゆえ、アルキメデスの系から、外接する図形は長方形CPの三分の一より大きいのです。しかし、小さいとしてしまったので、ありえないことになっているのです。それゆえ、複合三角形は長方形CPの三分の一より小さくはないのです。同様に、大きくもないのです。長方形CPの三分の一より大きいとして、〔複合〕三角形が長方形CPの三分の一より面積Xだけ超過しているとしましょう。長方形を大きさが同じ長方形にどこまでも細分割していくと、それらのひとつが面積Xよりも小さくなるでしょう。これを実行して、長方形BOがXより小さいとしましょう。以前と同じ図を描き、複合三角形のなかに長方形VO、TN、SM、RL、QKから構成された図形を内接させましょう。これも大きい長方形CPの三分の一より小さくはないでしょう。複合三角形が長方形CPの三分の一を超過しているのが面積Xに等しく、こ

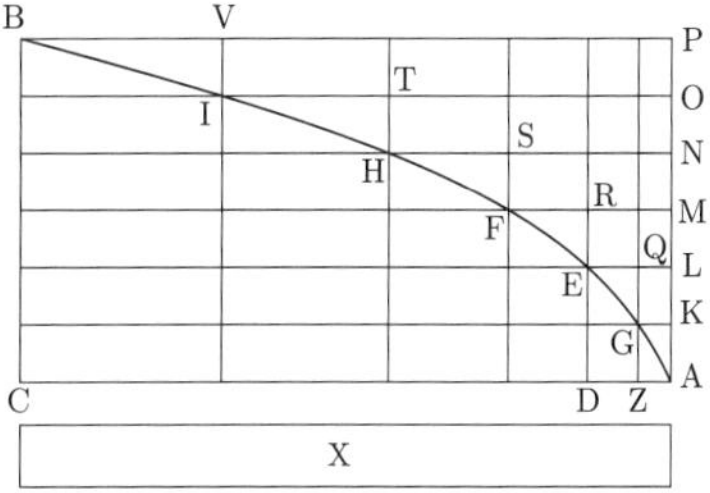

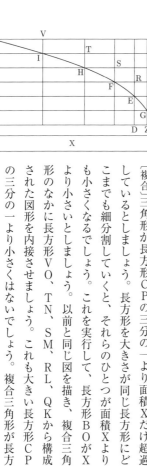

れが長方形ＢＯより小さく、ＢＯは三角形が内接図形を超過しているよりもさらに小さいと考えたところで、いずれにせよ複合三角形は長方形ＣＰの三分の一を超過しているよりも内接図形を超過しています。この長方形ＢＯは小長方形ＡＧ、ＧＥ、ＥＦ、ＦＨ、ＨＩ、ＩＢを合わせたものに等しく、三角形が内接図形を超過している面積はそれらの半分よりも小さいのです。だから、三角形が長方形ＣＰの三分の一より余分にもっている面積は（面積Ｘですが）内接図形より余分にもっている面積よりも大きいので、この図形は長方形ＣＰの三分の一より大きいのです。しかし、前提とした補助定理によれば、小さいのです。大きい長方形のすべてを合わせた長方形ＣＰが内接図形を構成している長方形に対してもつ比は、最大の線分に等しい線分の平方をすべて合わせたものが、同じ長さだけ次々と長くなっていく線分のうち最大の線分の平方を除く他の線分の平方に対してもつ比に等しいからです。だから（線分を）平方したときと同じように）大きい長方形のすべてを合わせたもの（つまり長方形ＣＰ）は、次々と大きくなっていって内接図形を構成する長方形のうち、最大のものを除く他の長方形を合わせたものの三倍よりも大きいのです。それゆえ、複合三角形は長方形ＣＰの三分の一より大きくも小さくもなく、等しいのです。

**サグレド**　見事で巧みな証明です。内接三角形の三分の四であることを証明して[9]パラボラの求積法を与えてくれているのですから、なおさらです。これは、アルキメデスがこれとはかなり異なっているけれども、同じように驚嘆すべき多くの一連の命題の二つで証明したことを立証しています。また最近では、現代のアルキメデス、ルカ・ヴァレリオによって証明されました。その証明は、立体の重心について書かれた彼の著作に書かれています。

**サルヴィアティ**　実際、現代と過去のどの時代の著名な幾何学者によって書かれたものにも劣ることのない著作です。わたしたちのアカデミア会員はそれを読んで、自分で見つけようとするのをやめたほどで、同じテーマについて書き続けても、このヴァレリオ氏によってすべてがとても適切に見つけられ、証明されてしまっているのがわかったのです[10]。

**サグレド**　わたしはアカデミア会員自身からこの出来事についてすべて聞かされました。彼がヴァレリオ氏の著作に出合う以前に見つけていた彼の証明を見せてほしいと頼んだのですが、それを見ることはできなかったのです。

**サルヴィアティ**　わたしは写しをもっています。それをあなたにお見せしましょう。

あなたはこれら二人の著者が同じ結論を追求するためにたどった方法の違いと彼らの証明を見ることができて楽しめるでしょう。結論のいくつかには異なる説明がなされていますが、実際には同じように正しいのです。

**サグレド**　とても見たいです。いつもの集まりに戻って来るときにそれらを持ってきてください。それはともかく、角柱をパラボラ状に切断した立体の抵抗力については機械的作業の多くに有益というだけでなく、見事な企てです。職人たちのために角柱の面にパラボラ曲線を描く何か簡単で手っ取り早い方法があればよいのですが。

**サルヴィアティ**　このような曲線を作図する方法は多いのですが、それらのうちでもっとも手っ取り早い二つについて話しましょう。そのひとつは本当に驚くべきものです。その方法を使うと、他の人がコンパスで紙面に大きさの異なる四つから六つの円を精密に描くよりも短時間に、わたしは三〇も四〇も、精密さや正確さではそれらの円周に劣らないパラボラ曲線を描くことができるのですから。クルミほどの大きさの完全に丸いブロンズの球をとり、水平面に直立しているのではなく多少傾いた金属の鏡の上にそれを投げるのです。そうすると、球はその上を進んでいき、動くにつれて軽々とそれを圧迫し、とても精密で正確なパラボラ曲線の跡を付けるのです。高く投げ上げるかそうでないかによって、これは拡がったり狭まったりします。このことからも、投射体の運動はパラボラ曲線に沿ってなされるという明確で理にかなった経験ができます。この現象はわたしたちの友人〔ガリレオ〕によって初めて観察され、彼の運動についての著作のなかで証明もされており、次回の集まりでいっしょに見ることにしましょう。さらにこの球は、前述の方法でパラボラを描かせるには手でいくらか処理してやる必要があります。温めて、いくらか湿らせるのです。そうすると、その足跡がもっとはっきりと鏡の上に残ります。わたしたちが求めている角柱の上に曲線を作図するもうひとつの方法は次のものです。壁に水平に、その上に半パラボラを描きたい長方形の幅の二倍離して二本の釘を打ち付けます。それらから細い鎖をぶら下げ、そのたわみが角柱の長さになるようにするのです。この細い鎖はパラボラの形に曲がるので、壁の上のこの細い鎖の通り道に点を打っていくと、二本の釘の中央を通る垂線によって等分割された完全なパラボラを描けるでしょう。さらに、この曲線を角柱の両面に書き写すのは何の困難もなく、普通の職人ならやり方を知っています。また、わたしたちの友人のコンパスの上に印された幾何学的な線の助けがあれば何の策略もなしに、角柱の面にこの曲線の点を打っていくことができるでしょう。(11)

ここまで、折られることに対する固体の抵抗力についての考察に関係した多くの結論を証明してきました。長さ方向の抵抗力についてわかったと仮定すると、この学問への入口が初めて開かれたのです。これで、自然界に無数に存在するさらに多くの別の結論とそれらの証明を見つけるために前進し続けることができるのです。しかし、さしあたりはきょうの話の結びとして、中空の立体の抵抗力についての考察を付け加えておきましょう。重さを増やすことなく頑丈さを大きく増やすときに、技術はこれを多くの作業に利用しており、自然はさらに多くの作業に利用しているのです。たとえば、軽くて、折り曲げられることや破壊されることにとても抵抗力がある鳥の骨や大きな葦に見られます。一本の麦わらは茎全体よりも重い穂を支えますが、同量の材質からできていても、中身が詰まっていると、折り曲げられることや破壊されることにほとんど抵抗できないでしょう。中空の竿、木あるいは金属の管は同じくらいの重さで同じ長さの中身の詰まった、したがって細いものよりも丈夫なのは、技術的に見られることであって、経験的に確かめられています。だから、槍を頑強で軽くしたいと考えたとき、それを中空にする技術が見つかったのです。ですから、次のことを証明しましょう。

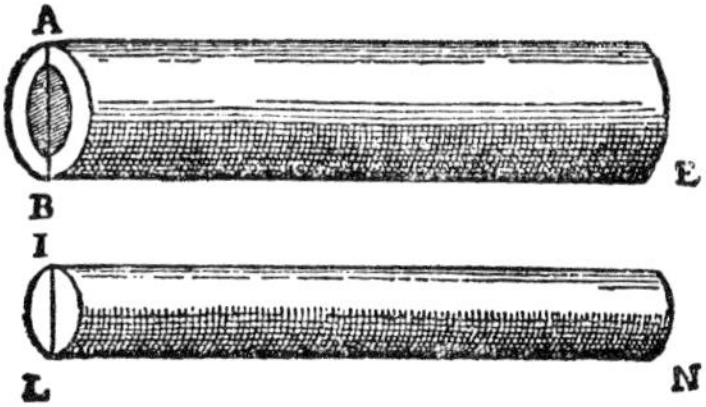


〔命題一三〕

同じ重さで同じ長さの、一方は中空で、他方は中身の詰まった二本の円柱の抵抗力は互いにそれらの直径の比に等しい。

中空の管あるいは円柱をAEとし、重さが等しく、同じ長さの中身の詰まった円柱をINとしましょう。破壊されることに対する管AEの抵抗力が中身の詰まった円柱INの抵抗力に対してもつ比は、直径ABと直径ILとの比に等しいということです。これは明らかです。なぜなら、管〔AE〕と円柱INは同じもので、同じ長さですから、円柱の底面の円LIは管AEの底面のドーナツABに等しく〔ドーナツと呼んでいるのは、同心の大きい円から小さい円を除いた残りの面です〕、そのために、単独でのそれらの抵抗力は等しいのです。ところで横方向に破壊しようとすると、円柱INの長さLNが梃子、点Lが支点、直径ＬＩまたはその半分が反対側の梃子の腕となり、管のほうは梃子の腕となる線分ＢＥはＬＮに等しいのですが、支点Ｂの先にある反対側の梃子の腕は直径ＡＢまたはその半分です。管の抵抗力は中身の詰まった円柱の抵抗力よりも、直径ＡＢが直径ＩＬよりも上回っている割合に応じて上回っていることが明らかです。これが見つけようとしていたことです。したがって、どちらも同じ材質でできていて、重さと長さが等しければ、いつでも中空の管の頑丈さは中身の詰まった円柱の頑丈さを直径の比に応じて上回っているのです。それでは、管と中身の詰まった円柱の長さは等しいが、重さが異なり、中空部分も大きかったり小さかったりする場合に起こることを考察することにしましょう。まず、次のことを証明しましょう。

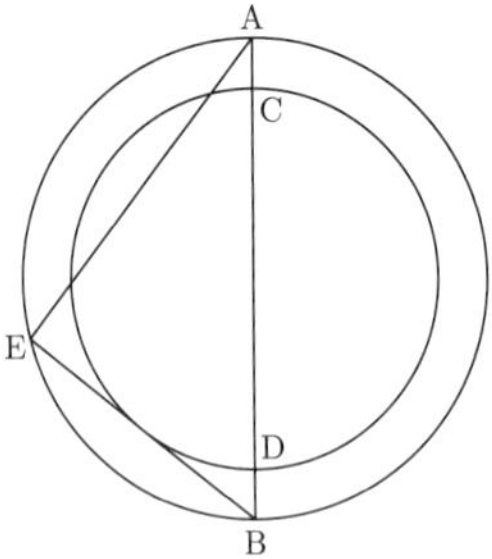


〔命題一四〕

中空の管が与えられれば、それと等しい中身の詰まった円柱を見つけることができる。

この演算はとても簡単です。管の直径を線分ＡＢ、中空部分の直径をＣＤとしましょう。大きいほうの円に直径ＣＤに等しく線分ＡＥを引き、ＥとＢを結びます。半円ＡＥＢの角Ｅは直角で、直径ＡＢの円〔の面積〕は直径ＡＥとＥＢの二つの円〔の面積〕に等しいでしょう。しかし、ＡＥは管の中空部分の直径です。それゆえ、直径がＥＢの円〔の面積〕はドーナツＡＣＢＤ〔の面積〕に等しいでしょう。だから、底面が直径ＥＢである中身の詰まった円柱は、長さが同じであれば、管に等しい〔面積で、したがって等しい抵抗力をもつ〕でしょう。これが証明されれば、次のことはすぐにできます。

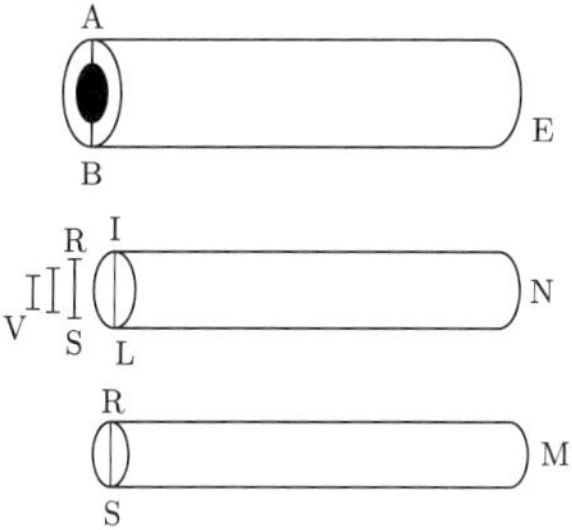


〔命題一五〕
同じ長さの任意の管の抵抗力と任意の円柱の抵抗力との比を見つけること。

管をＡＢＥ、それと同じ長さの円柱をＲＳＭとしましょう。それらのあいだの抵抗力の比を見つけなければなりません。先〔の命題〕を用いて、管と同じ重さで同じ長さの円柱ＩＬＮを見つけましょう。線分Ｖを線分ＩＬとＲＳ（円柱ＩＮとＲＭの底面の直径）の第四比例項とします。管ＡＥの抵抗力対円柱ＲＭの抵抗力は線分ＡＢ対Ｖということです。管ＡＥは円柱ＩＮと同じ重さで同じ長さですから、管の抵抗力対円柱の抵抗力は線分ＡＢ対ＩＬです。しかし、円柱ＩＮの抵抗力対円柱ＲＭの抵抗力はＩＬの三乗対ＲＳの三乗、つまり線分ＩＬ対Ｖです。それゆえ等間隔比になっていますから、管ＡＥの抵抗力対円柱ＲＭは線分ＡＢ対Ｖです。これが見つけようとしていたことです。

第二日　終わり(12)

## 訳　注（第二日）

（1）アリストテレス『機械学』第三章。ただし、これはアリストテレス自身の著作ではなく、アリストテレス学派によって書かれたことがわかっている。
（2）アルキメデス『平面板の平衡について』第一巻命題六、七。
（3）『機械学』第一六章。

（4）「第一日」訳注3参照。

（5）このあとでサルヴィアティが提示している証明は、ガリレオの孫弟子にあたるアンドレア・アリゲッティ（一五九二―一六七二年）が一六三三年九月二五日にシエナに滞在していたガリレオに送ったものである（OG, vol. 9, pp. 279-81）。ガリレオは二七日に彼に礼状を書き、自分の著作のなかに付け加えたいと述べている（ibid., pp. 283-84）。

（6）ルドヴィコ・アリオスト『狂えるオルランド』第一七歌三〇連。ただし、ガリレオの引用には二カ所の軽微な改変がある。

（7）『機械学』第一四章。

（8）アルキメデス『螺線について』命題一〇。

（9）ガリレオの図に描かれているのは一辺が曲線の複合三角形（triangolo misto）で、サグレドの言う内接三角形ＡＢＣは描かれていない。

（10）「第一日」訳注4参照。ガリレオが公表を差し控えることになった論考は、本書の「付録」として収録されている。

（11）ガリレオが一五九七年頃に考案した「幾何学的・軍事的コンパス」には、パラボラ曲線を描くための二乗を得る目盛りが付いていた。

（12）ここには「第一日」の末尾にあったような、そして以降の集まりの最後にある再会を約束する言葉がない。ガリレオはさらに議論を続けるつもりだったのではないかと強く疑わせるが、何らかの事情でライデンの印刷所に原稿を届けることができなかったか、「第二日」の印刷の終了までに原稿を書き上げることができなかったかであろう。

# 上巻訳者解説

ここに訳出した『新科学論議』(タイトルの全文は『機械と位置運動に関する二つの新科学についての論議と数学的証明』)をガリレオ・ガリレイ(一五六四―一六四二年)が一六三八年に出版したとき、彼は七四歳になっていた。彼が力学研究を始めたのは一五九〇年頃のピサ大学教授時代で、一五九二年にパドヴァ大学に移ってからも研究は続けられた。ピサでは『運動について』が書かれ、パドヴァでは『機械学』が書かれた。これら以外にもこの時期に書かれた力学研究についての多くのノートが残されている。一六一〇年五月七日にパドヴァ大学の教授だった彼はトスカナ宮廷での雇用を求める自薦状をトスカナ大公国首相のベリザリオ・ヴィンタに出している。そこには「わたしが完成すべき主な著作は……『位置運動について』三巻、これはまったく新しい科学で、古代においても現代においても他の誰も発見したことのない驚くべき現象についてのもので、わたしが自然運動と強制運動に存在することを証明し、わたしによってその第一原理に至るまで見いだされたきわめて適切に新しい科学と呼べるものです」と述べられている。だから、彼の力学研究の主要部分は実質的には三〇年も前になされていたのである。そのいくつかは手紙のなかで伝えられたり、手稿の形で回覧されたりしたが、多くは公表されることがなかった。

ガリレオに力学研究を中断させたのは、彼が一六〇九年に望遠鏡を自作し、それを星空に向けたことである。月の山や谷、銀河が多数の星の集まりであること、木星の衛星、金星の満ち欠け、太陽黒点、これらの諸発見によってすでにコペルニクスの地動説を信じるようになっていた彼はさらに確信を深めることになり、天文学の研究に専念することになったのである。とりわけメディチ星、つまり木星の四つの衛星の発見は一六一〇年にトスカナ大公付きの首席哲学者兼数学者として故郷のフィレンツェに迎えられるという幸運をもたらし、彼を一躍ヨーロッパの代表的天文学者のひとりとしたのである。その反面、彼を多くの論争に巻き込み、彼を煩わせることになった。この天文学上の成果は『天文対話』に結実することになるが、それは彼を宗教裁判という不幸へと導くことにもなったのである。

『天文対話』は一六三二年二月に出版されたが、この年の一〇月にローマの検邪聖省に出頭せよという命令がガリレオのもとに届いた。彼が『天文対話』のなかで聖書の教えに反するコペルニクスの地動説を支持しており、一六一六年に彼に与えられていたコペルニクス説を放棄するようにという命令にも背いているというのが罪状だった。裁判は翌年の四月一二日に始まり、六月二二日に異端の罪で有罪判決が下され、『天文対話』は禁書となったのである。判決からしばらくして、ガリレオの身柄はシエナ大司教のアスカニオ・ピッコローミニのもとに預けられた。もはや天文学を論じることができなくなったガリレオはここで力学研究へと立ち戻り、未公表のものをまとめて一冊の書物にしようという意欲をよみがえらせている。

そして、ガリレオは『天文対話』での対話者の三名を再集合させ、対話形式による新著『新科学論議』の執筆を開始した。ただし、この三名の役割は以前とはかなり異なっていることに注意しなければならない。実在の人物で、故人となっていた二人のうちフィレンツェ貴族でガリレオの友人、フィリッポ・サルヴィアティ(一五八二―一六一四年)は『天文対話』ではガリレオの代弁者だったが、ここではガリレオの力学研究の解説者として振る舞っている。ガリレオは『天文対話』におけるのと同じように「わたしたちのアカデミア会員」と呼ばれているものの、本文中で彼自身によって書かれたラテン語の力学論考がサルヴィアティによって朗読されているからである。ヴェネツィア貴族でガリレオの庇護者だったジョヴァン・フランチェスコ・サグレド(一五七一―一六二〇年)は以前と同じように教養ある一般人の役割をもっているものの、対立する他の二人の調停者ではない。ここでは、どちらかと言うとパドヴァ大学教授時代のガリレオの考え、つまり正しい結論を得るまでの試行錯誤の時期の彼の考えを代弁している。架空の人物であるシンプリチョはもはや頑ななアリストテレス主義者ではなく、理性的な聴講者の役割を演じ、しばしばサルヴィアティの意見を称賛している。かつては数学を軽視していたことを後悔さえしているのである。

『天文対話』でのトスカナ方言をまじえて、できるかぎり日常会話に近づけようとした努力も、ここでは失われている。扱われている内容が直感的には理解しがたい地動説を一般の人びとにも説得的なものにしようとすることから、数学的な自然法則をユークリッド流に公理、命題、定理として提出し、それらを用いて多くの力学現象を解明していくことへと変わったことが関係しているのだろう。

「第一日」が対話形式にまとめられたのはこのシエナ滞在中だったと思われる。一六五七年にガリレオの最晩年の弟子であるヴィンチェンツォ・ヴィヴィアーニが、ガリレオの伝記の執筆のため資料を求めてピッコローミニに問い合わせたとき、ピッコローミニは「その大部分がわたしの家で書かれたのですが、あなたが話されている件に関して彼はわたしにも他の誰にも写しをまったく残さなかったのです。……水銀実験について何があったか、何が述べられたかを簡潔にお話しすることはできます」と回答している。これは「第一日」でサルヴィアティが述べている水銀を用いた実験と関係していると思われるからである。

「第二日」についてもシエナで執筆が開始されたことがわかる。ここでの五カ月間に交わされた手紙の科学的な話題が材質強度に関係しており、九月二七日に彼の孫弟子であり、ピサ大学の数学教授だったニッコロ・アッギウンティに「第二日」の命題七となるものを送っているからである。

「第三日」以降の動力学については、それまで書きためたノートを参照する必要があったため、この年末に許されてフィレンツェ近郊のアルチェトリの自宅に戻るのを待たねばならなかった。

最初の二日間で展開される議論は、経験的にのみ語られていた固体の強度に関するもの、現代風に言えば材料力学に関するもので、古代以来延々と論じられてきた運動についての議論に比べて斬新なテーマであり、当時の人びとにとって待ち望まれていたものだっただろう。彼が述べているように、これが『新科学論議』の冒頭に出てくるヴェネツィアの造船所の職人たちの最大の関心事だったのである。しかし、彼が考察している固体の抵抗力、たとえば片持梁の抵抗力についての問題は彼が想像していた以上に複雑で、梃子の法則だけによって解明されるものではなかった。その後に多くの科学者たちによって研究され、いち早く近代的なものになる動力学とは違い、材料力学はその後一世紀近くめざましい発展を遂げることはなかった。このため、後半の二日間に比べるとこれまで注目されることが少なかったが、ガリレオが固体の強度について研究し、地上にあるものには大きさに限界があることを発見し、片持梁の最適設計を行なった最初の科学者であったことは忘れられるべきではない。

「第三日」以降では動力学が扱われ、ガリレオが発見したことで知られる振子の等時性と落体の法則が論じられているが、それらはすでに確立したものとして提出されており、発見へと導いた思考過程や実験については述べられていない。実は、これらの法則は『天文対話』の「第二日」ですでに論じられていたのである。地球が自転しているとしても地上の力学的現象は矛盾なく説明できるということを示すためだったが、なぜ運動の法則、とりわけ落体の法則を研究しなければならなかったかという理由もこちらのほうで語り尽くされている。

ヴィヴィアーニによって一六五四年に執筆された最初のガリレオ伝(筆者訳『ガリレオ・ガリレイの生涯 他二篇』岩波文庫所収)に記された逸話によると、ガリレオがまだピサ大学の学生だったときに、ピサの大聖堂のランプが揺れるのを見て振子の等時性を発見し、ピサ大学教授時代にピサの斜塔の上から同じ材質でできた重さの異なる物体を落下させて、落体の速さはそれらの重さに比例するとしたアリストテレスの間違いを証明したということになっている。しかし、『新科学論議』にはこれらの体験についてては語られていない。現存する資料を読み解くかぎり、ガリレオが振子の等時性と落体の法則を発見したと確認できるのはパドヴァに移ってからである。

本書で提出された命題の順序のほうも発見へと至る彼の思考過程に従っているわけではなく、実際の法則の発見への道筋には紆余曲折があった。ピサ大学教授時代に力学研究が始められたと述べたが、一五九〇年頃に書かれた『運動について』では、彼は落下する物体の速さはその密度あるいは比重に比例すると考えていた。この時期のガリレオはアルキメデスの著作の研究に熱中しており、彼の強い影響を受けていたことを窺わせるが、落下速度は落体の重さに比例するとしたアリストテレスの見解を否定しているものの、正しい法則をまだ見いだしていなかったことがわかる。落下速度は、落体の重さにかかわりなく、静止からの時間に比例して増していくからである。

パドヴァ大学教授となったあとの一六〇二年一一月二九日に、大学教授就任に尽力してくれたトスカナ大公国築城監督官グィドバルド・デル・モンテに出した手紙から、この時点で彼はすでに振子の等時性を発見していたことが確認できる。さらにそこから、鉛直円の下の四分円に沿う下降は弧の長さにかかわりなく等しい時間になされ、円周上の一点から最下点に引かれた弦に沿う下降時間はすべて等しいという結論を導いている。これは、「第三日」の「自然加速運動について」の定理六である。

彼が正しい落体の法則にさらに近づいたとわかるのは一六〇四年のことである。この年の一〇月一六日に、聖母下僕会修道士にしてヴェネツィア共和国神学顧問のパオロ・サルピに出した手紙には次のように書かれていた。「自然〔落下〕運動によって通過される距離は時間の二重の比をなし、そのため、等しい時間に通過される距離は一から始まる奇数の比になる」。これは定理二である。ただし、これに続けて「自然運動をする可動体は、その運動の始まりからの距離に比例して速さを増していく」とも述べられており、落体の法則のうち、落下距離が時間の二乗に比例するというほうは発見していたが、落下速度が時間に比例するという正しい結論にはまだ達していなかった。

ガリレオが落下速度は距離に比例するという考えの誤りに気づいたのは一六〇八年頃だった。この時期に書かれた自筆のノートから、彼は斜面の実験を繰り返し、かつての間違いに気づき、正しい結論に達したことがわかる。さらに、そこに描かれていた図には、水平方向の等速運動と落下の鉛直加速運動から合成された投射体の運動はパラボラ(放物線)を描くということも示されていた。これは「第四日」の定理一となった。

「第四日」での投射体のパラボラ軌道の頂高についての記述は現代の読者にとっては冗長に思われるかもしれないが、サグレドの「神は可動の天体を創造したのちに、それらに均等な円運動で永続的に動くに違いない速さを割り当てたのであり、それらを静止から出発させ……直線に沿う自然運動で一定の距離を動かし、加速し続けた……さらに、それらが永続的に維持することができると神が望んだ〔速さの〕度合いに達すると、神はその直線運動を円運動に変えた……わたしたちの著者は、一定の頂高を惑星に割り当てることができるかどうかを好奇心から研究したことがあったのです」という発言を読むと、この頂高を求めようという努力が何のためだったのかがわかってくる。『天文対話』の「第一日」でもサルヴィアティに同様の発言をさせていたが、ガリレオの力学研究は天文学と不可分であって、惑星の公転軌道と速度を神の天地創造から解き明かそうとしていた。彼としては、惑星の運行を説明するために運動法則の発見をもって議論を終えるわけにはいかなかったのである。

振子の等時性と落体の法則についてはすでに『天文対話』で公表されていたと述べたが、ガリレオが『新科学論議』で改めてそれらの法則を論じなければならなかった理由も『天文対話』の記述から知ることができる。彼はその「第二日」でサルヴィアティに商人の喩え話を持ち出して「砂糖、絹、羊毛について計算をぴったり合わせようとすると、会計係は箱、包み、その他の風袋の重さを差し引かねばなりませんが、同じように、幾何学的哲学者が抽象的に証明された結果を現実に認識しようとすれば、物質の障害を差し引かねばなりません」(筆者訳)と語らせている。だから、ガリレオにとって真の法則は障害のない空間、つまり空気のない真空中で求められねばならなかった。『天文対話』では地動説の正しさを示すことが主目的だったから、これについてはそこで語り尽くすことができていなかったのである。また、彼が一六二三年に出版した『偽金鑑識官』で宣言していたように「この宇宙は数学の言葉で書かれている」のだから、眼前の自然現象が実際に発見された数学的法則に従っていることを示さなければ目的を達したことにならなかったのだろう。真空中での自由落下運動だけでなく、さらに斜面や弦に沿う物体の運動を定理として確立すること、これらが『新科学論議』後半の二日間でなされているのである。さらにその「第一日」でサルヴィアティに次のように語らせていることも重要である。

別に実験しなくても……重い可動体のほうが軽いほうより速く運動するということが正しくないということを、簡単で決定的な証明によってはっきり示すことができます。

これらのサルヴィアティの発言に注目すれば、前述のヴィヴィアーニが伝えるピサの斜塔実験の逸話は色褪せてしまう。ガリレオが斜面の実験を繰り返したことは彼のノートから明らかであり、彼が実験と観察を重視したことは本書にも示されている。しかし、自然法則は「物質の障害」のない空間で成立するのであり、「別に実験しなくても」見いだせるのである。

ガリレオのイタリアにおける後継者たちは一六三三年の宗教裁判の結果を受けて、宇宙について考えるといった壮大なテーマから、どちらかと言うと身近な実験と観察へと重点を移すようになる。宇宙の仕組みを数学的に表現される力学によって解明しようというガリレオの努力はフランス、そしてイギリスの科学者たちに引き継がれることになるのである。比例中項を多用する計算は代数的計算に置き換えられ、まだ中世哲学の影響が色濃く残っていたインペトゥスやモメントゥムは彼らによって近代的な力学概念、つまり厳格に定義された力や運動量へと整備されていき、ガリレオが目指していたものはイギリスのアイザック・ニュートンの万有引力の発見をもって実現するのである。

（たなかいちろう　金沢大学名誉教授）

新科学論議《しんかがくろんぎ》（上）〔全２冊〕
ガリレオ・ガリレイ著

2024年7月12日　第1刷発行

訳　者　田中一郎《たなかいちろう》

発行者　坂本政謙

発行所　株式会社　岩波書店
〒101-8002 東京都千代田区一ツ橋 2-5-5

案内 03-5210-4000　営業部 03-5210-4111
文庫編集部 03-5210-4051
https://www.iwanami.co.jp/

印刷・三秀舎　カバー・精興社　製本・中永製本

ISBN 978-4-00-339068-9　　Printed in Japan

# 読書子に寄す

――岩波文庫発刊に際して――

岩波茂雄

真理は万人によって求められることを自ら欲し、芸術は万人によって愛されることを自ら望む。かつては民を愚昧ならしめるために学芸が最も狭き堂宇に閉鎖されたことがあった。今や知識と美とを特権階級の独占より奪い返すことはつねに進取的なる民衆の切実なる要求である。岩波文庫はこの要求に応じそれに励まされて生まれた。それは生命ある不朽の書を少数者の書斎と研究室とより解放して街頭にくまなく立たしめ民衆に伍せしめるであろう。近時大量生産予約出版の流行を見る。その広告宣伝の狂態はしばらくおくも、後代にのこすと誇称する全集がその編集に万全の用意をなしたるか。千古の典籍の翻訳企図に敬虔の態度を欠かざりしか。さらに分売を許さず読者を繫縛して数十冊を強うるがごとき、はたしてその揚言する学芸解放のゆえんなりや。吾人は天下の名士の声に和してこれを推挙するに躊躇するものである。このときにあたって、岩波書店は自己の責務のいよいよ重大なるを思い、従来の方針の徹底を期するため、すでに十数年以前より志して来た計画を慎重審議この際断然実行することにした。吾人は範をかのレクラム文庫にとり、古今東西にわたって文芸・哲学・社会科学・自然科学等種類のいかんを問わず、いやしくも万人の必読すべき真に古典的価値ある書をきわめて簡易なる形式において逐次刊行し、あらゆる人間に須要なる生活向上の資料、生活批判の原理を提供せんと欲する。この文庫は予約出版の方法を排したるがゆえに、読者は自己の欲する時に自己の欲する書物を各個に自由に選択することができる。携帯に便にして価格の低きを最主とするがゆえに、外観を顧みざるも内容に至っては厳選最も力を尽くし、従来の岩波出版物の特色をますます発揮せしめようとする。この計画たるや世間の一時の投機的なるものと異なり、永遠の事業として吾人は微力を傾倒し、あらゆる犠牲を忍んで今後永久に継続発展せしめ、もって文庫の使命を遺憾なく果たさしめることを期する。芸術を愛し知識を求むる士の自ら進んでこの挙に参加し、希望と忠言とを寄せられることは吾人の熱望するところである。その性質上経済的には最も困難多きこの事業にあえて当たらんとする吾人の志を諒として、その達成のため世の読書子とのうるわしき共同を期待する。

昭和二年七月

## 《法律・政治》〔白〕

- 人権宣言集　高木八尺・末延三次・宮沢俊義編
- 新版 世界憲法集 第二版　高橋和之編
- 君主論　マキアヴェッリ　河島英昭訳
- フィレンツェ史 全二冊　マキァヴェッリ　齊藤寛海訳
- リヴァイアサン 全四冊　ホッブズ　水田洋訳
- ビヒモス　ホッブズ　山田園子訳
- 法の精神 全三冊　モンテスキュー　野田良之・稲本洋之助・上原行雄・田中治男・三辺博之・横田地弘訳
- 完訳 統治二論　ジョン・ロック　加藤節訳
- 寛容についての手紙　ジョン・ロック　加藤節・李静和訳
- キリスト教の合理性　ジョン・ロック　加藤節訳
- ルソー 社会契約論　桑原武夫・前川貞次郎訳
- フランス二月革命の日々 ―トクヴィル回想録　トクヴィル　喜安朗訳
- アメリカのデモクラシー 全四冊　トクヴィル　松本礼二訳
- リンカーン演説集　高木八尺・斎藤光訳
- 権利のための闘争　イェーリング　村上淳一訳
- 近代人の自由と古代人の自由・征服の精神と簒奪 他一篇　コンスタン　堤林剣・堤林恵訳
- 民主主義の本質と価値 他一篇　ハンス・ケルゼン　長尾龍一・植田俊太郎訳
- 危機の二十年 ―理想と現実　E・H・カー　原彬久訳
- ザ・フェデラリスト　A・ハミルトン・J・ジェイ・J・マディソン　斎藤眞・中野勝郎訳
- アメリカの黒人演説集 ―キング・マルコムX・モリスン 他　荒このみ編訳
- モーゲンソー 国際政治 ―権力と平和 全三冊　原彬久監訳
- ポリアーキー　ロバート・A・ダール　高畠通敏・前田脩訳
- 現代議会主義の精神史的状況 他一篇　カール・シュミット　樋口陽一訳
- 政治的なものの概念　カール・シュミット　権左武志訳
- 第二次世界大戦外交史 全二冊　芦田均
- 憲法講話　美濃部達吉
- 日本国憲法　長谷部恭男解説
- 民主体制の崩壊 ―危機・崩壊・再均衡　ファン・リンス　横田正顕訳
- 憲法　鵜飼信成

## 《経済・社会》〔白〕

- 政治算術　ペティ　大内兵衛・松川七郎訳
- 国富論 全四冊　アダム・スミス　水田洋監訳　杉山忠平訳
- 道徳感情論 全二冊　アダム・スミス　水田洋訳
- 法学講義　アダム・スミス　水田洋訳
- コモン・センス 他三篇　トーマス・ペイン　小松春雄訳
- 経済学における諸定義　マルサス　玉野井芳郎訳
- オウエン自叙伝　ロバアト・オウエン　五島茂訳
- 戦争論 全三冊　クラウゼヴィッツ　篠田英雄訳
- 自由論　J・S・ミル　塩尻公明・木村健康訳
- 大学教育について　J・S・ミル　竹内一誠訳
- 功利主義　J・S・ミル　関口正司訳
- ロンバード街 ―ロンドンの金融市場　バジョット　宇野弘蔵訳
- イギリス国制論 全二冊　バジョット　遠山隆淑訳
- ユダヤ人問題によせて ヘーゲル法哲学批判序説　マルクス　城塚登訳
- 経済学・哲学草稿　マルクス　城塚登・田中吉六訳
- 新編輯版 ドイツ・イデオロギー　マルクス・エンゲルス　廣松渉編訳　小林昌人補訳
- マルクス エンゲルス 共産党宣言　大内兵衛・向坂逸郎訳
- 賃労働と資本　マルクス　長谷部文雄訳
- 賃銀・価格および利潤　マルクス　長谷部文雄訳
- マルクス 経済学批判　武田隆夫・遠藤湘吉・大内力・加藤俊彦訳

- マルクス 資本論 全九冊 — エンゲルス編 向坂逸郎訳
- 裏切られた革命 — トロツキー 藤井一行訳
- 文学と革命 全二冊 — トロツキイ 桑野隆訳
- ロシア革命史 全五冊 — トロツキー 藤井一行訳
- トロツキー わが生涯 全二冊 — 森田成也 志田昇 訳
- 空想より科学へ —社会主義の発展 — エンゲルス 大内兵衛訳
- イギリスにおける労働者階級の状態 —一九世紀のロンドンとマンチェスター 全二冊 — エンゲルス 一條和生 杉山忠平 訳
- 帝国主義 — レーニン 宇高基輔訳
- 国家と革命 — レーニン 宇高基輔訳
- 雇用、利子および貨幣の一般理論 全二冊 — ケインズ 間宮陽介訳
- シュムペーター 経済発展の理論 全二冊 — 塩野谷祐一 中山伊知郎 東畑精一 訳
- シュムペーター 経済学史 —学説ならびに方法の諸段階 — 中山伊知郎 東畑精一 訳
- 日本資本主義分析 — 山田盛太郎
- 恐慌論 — 宇野弘蔵
- 経済原論 — 宇野弘蔵
- 資本主義と市民社会 他十四篇 — 大塚久雄 齋藤英里編
- 共同体の基礎理論 他六篇 — 大塚久雄 小野塚知二編

- 言論・出版の自由 —アレオパジティカ 他一篇 — ミルトン 原田純訳
- ユートピアだより — ウィリアム・モリス 川端康雄訳
- 有閑階級の理論 — ヴェブレン 小原敬士訳
- 社会科学と社会政策にかかわる認識の「客観性」 — マックス・ヴェーバー 富永祐治 立野保男訳 折原浩補訳
- プロテスタンティズムの倫理と資本主義の精神 — マックス・ヴェーバー 大塚久雄訳
- 職業としての学問 — マックス・ヴェーバー 尾高邦雄訳
- 社会学の根本概念 — マックス・ヴェーバー 清水幾太郎訳
- 職業としての政治 — マックス・ヴェーバー 脇圭平訳
- 古代ユダヤ教 全三冊 — マックス・ヴェーバー 内田芳明訳
- 支配について 全二冊 — マックス・ヴェーバー 野口雅弘訳
- 宗教と資本主義の興隆 歴史的研究 全二冊 — トーニー 出口勇蔵・越智武臣訳
- 世論 全二冊 — リップマン 掛川トミ子訳
- 贈与論 他二篇 — マルセル・モース 森山工訳
- 国民論 他二篇 — マルセル・モース 森山工編訳
- ヨーロッパの昔話 その形と本質 — マックス・リュティ 小澤俊夫訳
- 独裁と民主政治の社会的起源 —近代世界形成過程における領主と農民 全二冊 — バリントン・ムーア 宮崎隆次 森山茂徳 高橋直樹 訳
- 大衆の反逆 — オルテガ・イ・ガセット 佐々木孝訳

- シャドウ・ワーク — イリイチ 玉野井芳郎 栗原彬 訳

## 《自然科学》〔青〕

- ヒポクラテス医学論集 — 國方栄二編訳
- 科学と仮説 — ポアンカレ 河野伊三郎訳
- ロウソクの科学 — ファラデー 竹内敬人訳
- 種の起原 全二冊 — ダーウィン 八杉龍一訳
- 自然発生説の検討 — パストゥール 山口清三郎訳
- 完訳 ファーブル昆虫記 全十冊 — 山田吉彦 林達夫 訳
- 科学談義 — T・H・ハックスリ 小泉丹訳
- メンデル 雑種植物の研究 — 岩槻邦男 須原準平 訳
- アインシュタイン 相対性理論 — 内山龍雄訳・解説
- 相対論の意味 — アインシュタイン 矢野健太郎訳
- アインシュタイン 一般相対性理論 — 小玉英雄編訳・解説
- 自然美と其驚異 — ジョン・ラバック 板倉勝忠訳
- ダーウィニズム論集 — 八杉龍一編訳
- 近世数学史談 — 高木貞治
- ニールス・ボーア論文集1 因果性と相補性 — 山本義隆編訳

ニールス・ボーア論文集2 量子力学の誕生　山本義隆編訳

ハッブル 銀河の世界　戎崎俊一訳

パロマーの巨人望遠鏡 全二冊　D・O・ウッドベリー　関正雄・湯澤博・成相恭二訳

生物から見た世界　ユクスキュル・クリサート　日高敏隆・羽田節子訳

ゲーデル 不完全性定理　林晋・八杉満利子訳

日本の酒　坂口謹一郎

生命とは何か ―物理的にみた生細胞　シュレーディンガー　岡小天・鎮目恭夫訳

ウィーナー サイバネティックス ―動物と機械における制御と通信　池原止戈夫・彌永昌吉・室賀三郎・戸田巌訳

熱輻射論講義　マックス・プランク　西尾成子訳

コレラの感染様式について　ジョン・スノウ　山本太郎訳

20世紀科学論文集 現代宇宙論の誕生　須藤靖編

高峰譲吉文集 いかにして発明国民となるべきか　鈴木淳編

相対性理論の起原 他四篇　廣重徹　西尾成子編

ガリレオ・ガリレイの生涯 他二篇　ヴィンチェンツィオ・ヴィヴィアーニ　田中一郎訳

精選 物理の散歩道　ロゲルギスト　松浦壮訳

## 《哲学・教育・宗教》〔青〕

ソクラテスの弁明・クリトン　プラトン　久保勉訳
ゴルギアス　プラトン　加来彰俊訳
饗宴　プラトン　久保勉訳
テアイテトス　プラトン　田中美知太郎訳
パイドロス　プラトン　藤沢令夫訳
メノン　プラトン　藤沢令夫訳
国家　全二冊　プラトン　藤沢令夫訳
プロタゴラス　―ソフィストたち　プラトン　藤沢令夫訳
パイドン　―魂の不死について　プラトン　岩田靖夫訳
アナバシス　―敵中横断六〇〇〇キロ　クセノポン　松平千秋訳
アリストテレス　ニコマコス倫理学　全二冊　高田三郎訳
アリストテレス　形而上学　全二冊　出隆訳
アリストテレス　弁論術　戸塚七郎訳
アリストテレース　ホラーティウス　詩学　詩論　松本仁助　岡道男訳
物の本質について　ルクレーティウス　樋口勝彦訳
エピクロス　―教説と手紙　出隆　岩崎允胤訳

生の短さについて　他二篇　セネカ　大西英文訳
怒りについて　他二篇　セネカ　兼利琢也訳
エピクテトス　人生談義　全二冊　國方栄二訳
人さまざま　テオプラストス　森進一訳
マルクス・アウレーリウス　自省録　神谷美恵子訳
老年について　キケロー　中務哲郎訳
友情について　キケロー　中務哲郎訳
弁論家について　全二冊　キケロー　大西英文訳
平和の訴え　エラスムス　箕輪三郎訳
エラスムス＝トマス・モア往復書簡　沓掛良彦　高田康成訳
方法序説　デカルト　谷川多佳子訳
哲学原理　デカルト　桂寿一訳
精神指導の規則　デカルト　野田又夫訳
情念論　デカルト　谷川多佳子訳
パンセ　全三冊　パスカル　塩川徹也訳
パスカル　小品と手紙　塩川徹也　望月ゆか訳
スピノザ　神学・政治論　全二冊　畠中尚志訳

知性改善論　スピノザ　畠中尚志訳
スピノザ　エチカ（倫理学）　全二冊　畠中尚志訳
スピノザ　国家論　畠中尚志訳
スピノザ往復書簡集　畠中尚志訳
デカルトの哲学原理　―附 形而上学的思想　スピノザ　畠中尚志訳
スピノザ　神・人間及び人間の幸福に関する短論文　畠中尚志訳
モナドロジー　他二篇　ライプニッツ　谷川多佳子　岡部英男訳
ノヴム・オルガヌム（新機関）　ベーコン　桂寿一訳
市民の国について　全二冊　ヒューム　小松茂夫訳
自然宗教をめぐる対話　ヒューム　犬塚元訳
君主の統治について　―謹んでキプロス王に捧げる　トマス・アクィナス　柴田平三郎訳
精選　神学大全　全四冊　トマス・アクィナス　稲垣良典　山本芳久編／訳
エミール　全三冊　ルソー　今野一雄訳
人間不平等起原論　ルソー　本田喜代治　平岡昇訳
ルソー　社会契約論　桑原武夫　前川貞次郎訳
言語起源論　―旋律と音楽的模倣について　ルソー　増田真訳
ディドロ　絵画について　佐々木健一訳

純粋理性批判 全三冊　カント　篠田英雄訳
カント 実践理性批判　波多野精一・宮本和吉・篠田英雄訳
判断力批判 全二冊　カント　篠田英雄訳
永遠平和のために　カント　宇都宮芳明訳
プロレゴメナ　カント　篠田英雄訳
人倫の形而上学 全二冊　カント　熊野純彦・宮村悠介訳
シュライエルマッハー 独白　木場深定訳
ヘーゲル 政治論文集 全二冊　金子武蔵訳
哲学史序論 —哲学と哲学史　ヘーゲル　武市健人訳
歴史哲学講義 全二冊　ヘーゲル　長谷川宏訳
法の哲学 —自然法と国家学の要綱　ヘーゲル　上妻精・佐藤康邦・山田忠彰訳
学問論　シェリング　西川富雄・藤田正勝監訳
自殺について 他四篇　ショウペンハウエル　斎藤信治訳
読書について 他二篇　ショウペンハウエル　斎藤忍随訳
知性について 他四篇　ショーペンハウエル　細谷貞雄訳
不安の概念　キェルケゴール　斎藤信治訳
死に至る病　キェルケゴール　斎藤信治訳

体験と創作 全二冊　ディルタイ　柴田治三郎・小牧健夫訳
眠られぬ夜のために 全二冊　ヒルティ　草間平作・大和邦太郎訳
幸福論 全三冊　ヒルティ　草間平作・大和邦太郎訳
悲劇の誕生　ニーチェ　秋山英夫訳
ツァラトゥストラはこう言った 全二冊　ニーチェ　氷上英廣訳
道徳の系譜　ニーチェ　木場深定訳
善悪の彼岸　ニーチェ　木場深定訳
この人を見よ　ニーチェ　手塚富雄訳
プラグマティズム　W・ジェイムズ　桝田啓三郎訳
宗教的経験の諸相 全二冊　W・ジェイムズ　桝田啓三郎訳
日常生活の精神病理　フロイト　高田珠樹訳
精神分析入門講義 全二冊　フロイト　高田珠樹・新宮一成・須藤訓任・道籏泰三訳
純粋現象学及現象学的哲学考案 全二冊　フッセル　池上鎌三訳
デカルト的省察　フッサール　浜渦辰二訳
愛の断想・日々の断想　ジンメル　清水幾太郎訳
ジンメル宗教論集　深澤英隆編訳
笑い　ベルクソン　林達夫訳

道徳と宗教の二源泉　ベルクソン　平山高次訳
物質と記憶　ベルクソン　熊野純彦訳
時間と自由　ベルクソン　中村文郎訳
ラッセル教育論　安藤貞雄訳
ラッセル幸福論　安藤貞雄訳
存在と時間 全四冊　ハイデガー　熊野純彦訳
学校と社会　デューイ　宮原誠一訳
民主主義と教育 全二冊　デューイ　松野安男訳
我と汝・対話　マルティン・ブーバー　植田重雄訳
アラン 幸福論　神谷幹夫訳
アラン 定義集　神谷幹夫訳
天才の心理学　E・クレッチュマー　内村祐之訳
英語発達小史　H・ブラッドリ　寺澤芳雄訳
日本の弓術　オイゲン・ヘリゲル述　柴田治三郎訳
似て非なる友について 他三篇　プルタルコス　柳沼重剛訳
ことばのロマンス —英語の語源　ウィークリー　寺澤芳雄・出淵博訳
ヴィーコ 学問の方法　上村忠男・佐々木力訳

国家と神話 全二冊　カッシーラー　熊野純彦訳
天才・悪　ブレンターノ　篠田英雄訳
人間の頭脳活動の本質 他一篇　ディーツゲン　小松摂郎訳
反啓蒙思想 他二篇　バーリン　松本礼二編
マキアヴェッリの独創性 他三篇　バーリン　川出良枝編
ロシア・インテリゲンツィヤの誕生 他五篇　バーリン　桑野隆編
論理哲学論考　ウィトゲンシュタイン　野矢茂樹訳
自由と社会的抑圧　シモーヌ・ヴェイユ　冨原眞弓訳
根をもつこと 全二冊　シモーヌ・ヴェイユ　冨原眞弓訳
重力と恩寵　シモーヌ・ヴェイユ　冨原眞弓訳
全体性と無限 全二冊　レヴィナス　熊野純彦訳
啓蒙の弁証法 —哲学的断想　M・ホルクハイマー　T・W・アドルノ　徳永恂訳
ヘーゲルからニーチェへ —十九世紀思想における革命的断絶 全二冊　レーヴィット　三島憲一訳
統辞構造論 付『言語理論の論理構造』序論　チョムスキー　福井直樹・辻子美保子訳
統辞理論の諸相 方法論序説　チョムスキー　福井直樹・辻子美保子訳
快楽について　ロレンツォ・ヴァッラ　近藤恒一訳
ニーチェ みずからの時代と闘う者　ルドルフ・シュタイナー　高橋巖訳

フランス革命期の公教育論　コンドルセ他　阪上孝編訳
人間の教育 全二冊　フレーベル　荒井武訳
旧約聖書 創世記　関根正雄訳
旧約聖書 出エジプト記　関根正雄訳
旧約聖書 ヨブ記　関根正雄訳
旧約聖書 詩篇　関根正雄訳
新約聖書 福音書　塚本虎二訳
文語訳 新約聖書 詩篇付
文語訳 旧約聖書 全四冊
キリストにならいて　トマス・ア・ケンピス　大沢章・呉茂一訳
聖アウグスティヌス 告白 全二冊　服部英次郎訳
アウグスティヌス 神の国 全五冊　服部英次郎・藤本雄三訳
新訳 キリスト者の自由・聖書への序言　マルティン・ルター　石原謙訳
キリスト教と世界宗教　シュヴァイツェル　鈴木俊郎訳
カルヴァン小論集　波木居斉二編訳
聖なるもの　オットー　久松英二訳
コーラン 全三冊　井筒俊彦訳

エックハルト説教集　田島照久編訳
ムハンマドのことば ハディース　小杉泰編訳
新約聖書外典 ナグ・ハマディ文書抄　荒井献・大貫隆・小林稔・筒井賢治編訳
後期資本主義における正統化の問題　ハーバーマス　山田正行・金慧訳
シンボルの哲学 —理性、祭礼、芸術のシンボル試論　S・K・ランガー　塚本明子訳
ジャック・ラカン 精神分析の四基本概念 全二冊　ジャック＝アラン・ミレール編　小出浩之・新宮一成・鈴木國文・小川豊昭訳
精神と自然 生きた世界の認識論　グレゴリー・ベイトソン　佐藤良明訳
精神の生態学へ 全三冊　グレゴリー・ベイトソン　佐藤良明訳
人間の知的能力に関する試論 全二冊　トマス・リード　戸田剛文訳
開かれた社会とその敵 全四冊　カール・ポパー　小河原誠訳